Bwli a Bradwr

Brenda Wyn Jones

Gwasg
Gwynedd

Argraffiad cyntaf — 1998
Ail argraffiad — 2000

ISBN 0 86074 146 X

Cyhoeddwyd dan gynllun comisiynu Cyngor Llyfrau Cymru.

Dymuna'r cyhoeddwyr gydnabod cymorth
Adrannau Cyngor Llyfrau Cymru.

Panel Golygyddol Cyfres Cled:
Bethan M. Hughes
Dr Llinos M. Jones
Iwan Morgan

*Cyhoeddwyd ac Argraffwyd
gan Wasg Gwynedd, Caernarfon.*

I dair Elen

Annwyl blant,

Stori yw hon am blant oedd yn byw ym mhentref Bethesda, Sir Gaernarfon (Gwynedd erbyn hyn), gant o flynyddoedd yn ôl. Fe ddysgais i lawer amdanyn nhw wrth ddarllen hen lyfrau lòg ysgolion yr ardal. Erbyn heddiw mae'r rhain yn cael eu cadw'n ofalus yn yr Archifdy yng Nghaernarfon.

Rhyw fath o ddyddiadur oedd y llyfr lòg ac yn hwn fe fyddai'r prifathro neu'r brifathrawes yn ysgrifennu popeth pwysig oedd yn digwydd yn hanes yr ysgol. Ac maen nhw'n dal i wneud hynny hyd heddiw.

Beth am i chi fynd i chwilio am hen lyfrau lòg eich ysgol chi? Rwy'n siŵr y dewch chi o hyd i bethau diddorol iawn ynddyn nhw.

Brenda Wyn Jones

YSGOLION BETHESDA

YSGOL GERLAN

YSGOL (B) LLANLLECHID

YSGOL (N) LLANLLECHID

TAN Y FOEL

BONTUCHAF

CILFODEN

YSGOL CARNEDDI

YSGOL GLANOGWEN

RACHUB

HEN BARC

YSGOL SIR BETHESDA

YSGOL CEFNFAES

STRYD FAWR

AFON OGWEN

CHWAREL Y PENRHYN

YSGOL TREGARTH

I FANGOR

LÔN BOST

Pennod 1

'Jêl! Jêl! Mynd i jêl!
Hogia Leusa'n mynd i jêl!'

Closiodd Guto at y wal i geisio osgoi'r geiriau creulon a'r dyrnau oedd yn dod ato o bob cyfeiriad. Gweddïai am i'r gloch ganu er mwyn iddo gael mynd yn ôl i ddiogelwch y dosbarth. Ond dal i herio a siantio yr oedd Robat a'i griw, gan wybod yn iawn fod y prifathro, y ddau *pupil teacher* a Miss Thomas yn y gegin yng nghefn yr ysgol yn cael eu paned ddeg. Doedd dim perygl iddyn nhw weld na chlywed dim o'r hyn oedd yn digwydd ar yr iard.

'Gadwch lonydd iddo fo!' meddai Defi o'r diwedd. 'Dydi Guto druan ddim wedi gwneud dim byd i neb.'

'Ond mae ei ddau frawd mawr o wedi codi digon o helynt,' meddai Robat yn gas. 'Maen nhw'n siŵr o gael eu gyrru i'r jêl fory am be wnaethon nhw, gewch chi weld! Mi gân nhw dalu'n ddrud am ymosod ar Nhad ac ar Twm a Wil ni.'

'A gwynt teg ar eu hola nhw hefyd,' chwarddodd

9

John Tŷ Pen, un o fêts Robat. 'Mi glywais i fod 'na dri chant o sowldiwrs wedi dŵad i Fangor i wneud yn siŵr na fydd 'na ddim helynt yno fory.'

'Pum cant glywais i,' mynnodd un o'r lleill.

'Dyna chi!' Roedd Robat wrth ei fodd. 'Cheith neb ymosod ar ddynion Lord Penrhyn fel'na. Nhw sy'n rhedag y chwaral a dim ond gweithwyr cyffredin ydi pawb arall. Doedd gynnyn nhw ddim hawl i fusnesu, medda Nhad.'

'Ond mi glywais i Taid yn dweud ei bod hi'n hen bryd i rywun wneud rwbath.'

Chwarae teg i Defi, meddyliodd Guto. Roedd o'n ddigon dewr i amddiffyn ei ffrind er bod arno yntau, fel pawb arall, ofn croesi Robat.

'Pwy wyt ti i agor dy geg fawr, felly?' meddai Robat gan nesu ato'n fygythiol. 'Pam mae'n rhaid i neb godi twrw? Mae 'na ddigon o waith i bawb yn y chwaral.'

'Oes, ac mae hi'n iawn ar rai gweithwyr yno,' aeth Defi yn ei flaen. 'Pobol 'Reglwys rydw i'n feddwl. Maen nhw'n cael cyfloga da am gefnogi Lord Penrhyn ymhob lecsiwn a bob tro y bydd 'na helynt yn y chwaral.' Fe wyddai'n iawn fod tad Robat yn un o'r rheiny.

'Gwylia di be ti'n ddweud, wàs,' hisiodd Robat rhwng ei ddannedd. Roedd hi'n amlwg ei fod wedi gwylltio'n arw, ond doedd o ddim am fentro taro Defi chwaith, rhag ofn iddo gael pelten yn ôl ganddo. Fe wyddai'n iawn ei fod yn un da â'i ddyrnau, yn wahanol iawn i'r babi arall, y Guto Leusa 'na. 'Arhoswch chi tan fory, hogia,' meddai'n sbeitlyd. 'Fe gewch chi weld be fydd yn digwydd i ffyliaid gwirion sy'n mentro croesi Lord Penrhyn.'

'Mi liciwn i fod yno,' meddai Defi'n ddewr. 'Ond cha i ddim mynd gan Mam.'

'Wyt ti am gael mynd, Guto? I ti gael gweld dy ddau frawd mawr yn cael eu martsio i'r jêl?' Chwarddodd Robat a rhoi dyrnod ciaidd arall i Guto yn ei stumog.

'*What's going on here?*' Daeth llais y prifathro fel taran o'r drws a chwalodd y cylch bygythiol yn syth.

'*Get into lines!*' <u>bloeddiodd</u> wedyn ac roedd hi'n amlwg fod Puw mewn tymer ddrwg. Rhuthrodd pawb i'w le, rhag ofn iddo fod yn olaf, gan adael

Guto druan yn pwyso yn erbyn y wal, bron â chyfogi ac yn methu'n lân â chael ei wynt.

'*Come here, boy,*' meddai Puw yn gas. '*What's wrong with you?*'

'*Nothing, sir,*' meddai Guto, ond fe wyddai'r

prifathro'n iawn fod rhyw ffrwgwd wedi bod yn mynd ymlaen ar yr iard. Roedd golwg llwydaidd iawn ar y bachgen, yn fwy felly nag arfer, ac un bach digon eiddil oedd hwn ar y gorau. Cofiodd fod yr achos llys ym Mangor fore trannoeth a dechreuodd amau beth oedd yn bod. Edrychodd ar Robert Hughes yn sefyll ym mhen y rhes a sylwi ar y wên sbeitlyd ar ei wyneb.

'*Don't you feel well, Griffith?*' holodd, yn eithaf caredig y tro hwn.

'*No, sir.*' Llyncodd Guto ei boer a cheisio sefyll yn syth.

'*Well, go into the kitchen to get a drink of water and sit down there quietly. I'm sure you'll feel better in a little while.*'

'*No, I'm alright, sir,*' mynnodd Guto gan lusgo i mewn i'r ysgol y tu ôl i'r lleill.

'Wyt ti'n iawn, Guto?' sibrydodd Magi, ei gyfnither, wrth iddo gerdded heibio iddi ar ei ffordd i'w le wrth y fainc uchaf yn y cefn. Roedd hi wedi gweld a chlywed popeth ac yn poeni amdano. 'Hen fwli mawr ydi'r Robat 'na, wyddost ti, ac mae o â'i gyllall ynot ti o hyd ac o hyd. Pam na ddeudi di wrth Wil a Llew amdano fo? Fyddan nhw ddim chwinciad â'i setlo fo i ti, gei di weld.'

'Na, mae gynnyn nhw ddigon i boeni amdano fo,' meddai Guto'n dawel a mynd yn ei flaen i'w sedd yn y cefn. Roedd yn ysu am gael cyrraedd ei ben-blwydd yn bedair ar ddeg oed, er mwyn cael gadael y *Carneddi British School* am byth a mynd i weithio i'r chwarel. Fe wyddai y byddai ei ddau frawd mawr yno i edrych ar ei ôl ac y byddai'n ddiogel o afael Robat a'i debyg. Ond roedd ganddo bron i ddwy flynedd hir i ddisgwyl am y diwrnod hapus hwnnw. Er ei fod wedi cael cynnig sefyll arholiad y *Scholarship* yr haf hwnnw i fynd i'r ysgol newydd, y *County School,* fe wyddai'n iawn na allai ei fam fforddio i'w gadw yno a bod yn rhaid iddo fodloni ar fynd i'r chwarel i weithio.

Gafaelodd yn ei lechen ac edrych draw at y bwrdd du lle'r oedd y prifathro'n ysgrifennu syms iddyn nhw eu copïo a'u datrys. Fe fyddai wrth ei fodd yn gwneud syms fel arfer, ond doedd dim llawer o awydd gweithio arno'r bore hwnnw. Roedd ei feddwl yn mynnu crwydro draw i Fangor a'r achos llys drannoeth. Beth wnâi o a'i fam petai Wil a Llew yn cael eu gyrru i'r carchar fel roedd Robat yn dweud? Roedd hi'n ddigon main arnyn nhw a'i ddau frawd mawr yn gweithio yn y chwarel, am fod y cyflogau mor ofnadwy o isel. Ond heb gyflog o gwbl fe fyddai ei fam ac yntau'n llwgu, neu'n gorfod mynd ar y plwy. Duw a'u helpo nhw wedyn!

Estynnodd ei gadach o'i boced a phoeri ar ei lechen i'w glanhau'n lân cyn dechrau ar ei waith. Syllodd ar y bwrdd du lle'r oedd y prifathro wedi ysgrifennu'r dyddiad yn ei lawysgrifen hardd —

November 5th, 1900. Dyna od oedd gweld dyddiad felly ac yntau, oedd wedi ei eni ddeuddeng mlynedd yn ôl mewn canrif arall, wedi hen arfer ysgrifennu 189... ar hyd ei oes. Er bod blwyddyn bron ers troad y ganrif, roedd 1900 yn dal i edrych yn od wrth ei weld ar y bwrdd du fel hyn. Yna cerddodd Robat ymlaen i ddangos ei waith i'r prifathro, gan sibrwd dan ei wynt wrth fynd heibio, 'Aros di tan amsar cinio. Ga i di eto, wàs!'

Rhwng y poen yn ei fol ar ôl y dyrnod, y poen wrth feddwl beth ddigwyddai yn y llys drannoeth a'r ofn oedd yn ei ddilyn yn yr ysgol bob awr o'r dydd, roedd Guto druan yn teimlo'n swp sâl. Gwnaeth ei orau i ganolbwyntio ar ei waith, ond pan ddaeth hanner dydd o'r diwedd a sŵn corn y chwarel yn y pellter, doedd o ddim yn teimlo'n llawer gwell. Wedi'r cwbl, fe fyddai'n rhaid iddo wynebu Robat a'i ffrindiau unwaith eto ar ei ffordd adref i ginio. Teimlai awydd beichio crio, ond fe wyddai'n iawn y byddai hynny'n plesio'r bwli yn fwy na dim. O, roedd bywyd yn galed!

The disturbance in the Quarry has affected the school . . .

(Llyfr lòg Carneddi British School — 6 Tachwedd, 1900)

Pennod 2

Yn ei wely'r noson honno roedd Guto'n methu'n lân
â chysgu. Clywai ei ddau frawd yn chwyrnu'n braf
yn y gwely mawr wrth ei ymyl, er eu bod yn gorfod
wynebu'r llys yn y bore. Tybed oedd ei fam yn cysgu
yn y siambar i lawr y grisiau? Go brin, meddyliodd,
ond gwyddai ei fod yn hogyn rhy fawr i sleifio i lawr
ati fel y gwnâi erstalwm. Mor braf fyddai cael closio
ati yng nghynhesrwydd y gwely plu fel y gwnâi ar
ôl cael hunllef neu freuddwyd cas pan oedd yn hogyn
bach.

Diolch byth, doedd o ddim wedi cael ei gam-drin
wedyn y diwrnod hwnnw. Fe lwyddodd i redeg adref
amser cinio cyn i Robat ei ddal, a sleifio'n ôl i'r ysgol
wedyn fel roedd y gloch yn canu am un o'r gloch.
Yna, wrth lwc, fe gadwodd y prifathro Robat ar ôl
ar ddiwedd y prynhawn i'w helpu i gadw llyfrau ac
i gymysgu inc. Tybed oedd o wedi amau rhywbeth?
A, wel! Mi fydd yn rhaid i mi wynebu'r criw eto bora
fory, meddyliodd, ac mi fydd Robat yn herian yn
waeth nag erioed gan fod yr achos ymlaen yn y llys.
Biti fod hyn wedi digwydd o gwbwl, ro'n i'n cael
llonydd go lew ganddo fo cyn dechrau'r hen helynt
'ma.

Aeth ei feddwl yn ôl i'r diwrnod ofnadwy hwnnw wythnos ynghynt. Yn yr iard yn chwarae yr oedd o bryd hynny hefyd, yn chwarae marblis efo Defi a Ben Tŷ Cerrig. Yn sydyn dyma nhw'n clywed sŵn esgidiau hoelion mawr ar y ffordd ac yn rhuthro at y wal i edrych drosodd i lawr i'r lôn. Dyna lle'r oedd criw o hogiau ifanc yn dod ar hyd y ffordd tua'r ysgol, pob un yn cario'i dun bwyd dan ei gesail, a dim ond chwarter wedi deg oedd hi! Tybed oedd yna ddamwain wedi digwydd? Oedd Wil a Llew yn iawn? Beth petai un ohonyn nhw wedi cael ei ladd? Darn o graig wedi syrthio ar ei ben? Dyna oedd wedi digwydd i'w dad, ond roedd hynny pan oedd o'n fabi bach a doedd o'n cofio dim am y peth. Pan fyddai damwain fawr felly'n digwydd fe fyddai pawb yn rhoi'r gorau i weithio am weddill y diwrnod.

Yna fe welodd ei ddau frawd ar flaen y dorf. O, diolch byth! Roedd y ddau'n iawn, ond pwy oedd y dyn a'i wyneb yn waed i gyd oedd yn cerdded rhyngddyn nhw? Roedd golwg druenus arno, ond roedd Wil a Llew yn ei wthio yn ei flaen yn ddidrugaredd. Beth ar y ddaear oedd wedi digwydd tybed? Oedd y dyn druan wedi cael damwain? Os felly, pam roedden nhw'n ei fartsio adref fel hyn? Yna sylwodd ar ddau arall a golwg wedi dychryn arnyn nhw a'r rheiny hefyd yn cael eu gwthio yn eu blaenau'n giaidd gan rai o'r hogiau eraill.

'Hei, Wil!' gwaeddodd. 'Be sy wedi digwydd?'

'Fe gei di wybod yn ddigon buan, 'ngwas i,'

meddai llais o'r dorf, ond ddwedodd ei ddau frawd 'run gair, dim ond cerdded yn eu blaenau a golwg benderfynol ar eu hwynebau.

Pan gyrhaeddodd adref o'r ysgol amser cinio y cafodd o wybod beth oedd wedi digwydd yn y chwarel y bore hwnnw. Dyna lle'r oedd ei fam, yn eistedd yn ei chadair freichiau wrth y tân ac yn crio'n dawel. Yna sylwodd fod Wil, ei frawd hynaf, yn eistedd wrth y bwrdd a'i ben yn ei ddwylo.

'Dŵad â helynt heb fod angen,' cwynai ei fam. 'Be ddaeth drosoch chi i ymosod mor ffiaidd ar Richard Huws a'i ddau fab, a'r rheiny'n gymdogion i ni? Sut y medra i godi 'mhen yn y pentra 'ma ar ôl heddiw? Be ddwedai'ch tad druan petai o'n fyw?'

'Ond, Mam bach, doedd gynnon ni ddim dewis. Roedd yn rhaid i rywun wneud rwbath,' mynnodd Wil.

'Ond pam chi? Dyna liciwn i wybod. Rydach chi'ch dau yn hogia da fel arfar ac mae Guto a finna'n dibynnu arnoch chi. Be ddaeth drosoch chi?'

'Nid ni'n unig, Mam. Mi roedd 'na griw ohonon ni yno pan ddaeth y rheolwr, y Mistar Young felltith 'na, o gwmpas i ddweud fod y gwaith i gyd wedi cael ei roi i *gontractors* ac y byddai'n rhaid i ni i gyd weithio iddyn nhw o hyn allan. Roedd o mor ffiaidd, mi fydda rhywun yn meddwl ei bod hi'n fraint cael gweithio iddo fo.'

'Ond fel'na mae petha wedi bod erioed. Pam heddiw?'

'Am ein bod ni i gyd wedi cael llond bol, dyna i chi pam. Rydan ni'n gweithio llai a llai o oria, am lai a llai o gyflog, a does gynnon ni ddim hawlia o gwbwl. Maen nhw'n trin y gweithwyr fel baw yn y chwaral 'na ers blynyddoedd. Byth ers pan fu farw'r Hen Lord.'

'Oedd, roedd o'n ŵr bonheddig,' ochneidiodd hithau. 'Roedd gan dy dad barch mawr iddo fo.'

'Does gan yr un ohonon ni fymryn o barch i'w fab o, beth bynnag,' meddai Wil yn ffyrnig. 'Dydi o'n malio dim am ei weithwyr, dim ond am wneud arian mawr o'r llechi rydan ni'n slafio i'w tynnu allan o'r hen fynydd 'na iddo fo. Ond mae o wedi mynd yn rhy bell heddiw. *Contractors,* wir! Meddyliwch am orfod gweithio i bobol fel y Richard Huws 'na! Dydi hwnnw'n fawr o grefftwr, coeliwch chi fi, ond ei fod o'n gwybod sut i gynffonna i'r swyddogion. Roedd yn rhaid i rywun wneud safiad ac mae'r dynion mewn oed a theuluoedd ganddyn nhw ofn mynd i helynt.'

'Criw o hogia ifanc wnaeth ymosod arno fo a'i ddau fab, felly? Rhai gwirion fel chi'ch dau mae'n debyg?'

'Ia,' cyfaddefodd Wil yn ddigalon. 'Ond doedd gynnon ni ddim dewis, wir i chi.'

'Be sy wedi digwydd? Wedi bod yn cwffio yn y chwaral ydach chi?' holodd Guto mewn syndod. 'Tad Robat oedd y dyn oedd yn waed i gyd?'

Edrychodd y ddau arno'n euog, fel petaen nhw newydd sylweddoli ei fod yno'n gwrando ar y cyfan.

'Dos di allan i chwara, Guto bach,' meddai ei fam yn drist. 'Mae 'na frechdan saim i ti ar y bwrdd, ond fydd 'na ddim siâp ar swpar chwaral heno mae arna i ofn. Fedra i ddim meddwl am fynd draw i'r siop heddiw ar ôl clywad am yr helynt ofnadwy rydan ni ynddi hi. Mae gen i ormod o gwilydd.'

'Peidiwch â siarad yn wirion, Mam.' Roedd Wil wedi dechrau colli amynedd erbyn hyn a sleifiodd Guto allan drwy'r drws cefn a'i frechdan yn ei law i chwilio am ei frawd arall. Efallai y câi o wybod mwy gan Llew, heb ei fam yno'n gwrando.

A dyna ddechrau'r holl helynt, meddyliodd yn drist, gan droi a throsi'n aflonydd yn y gwely plu. Pan aeth yn ei ôl i'r ysgol y prynhawn hwnnw roedd criw yn ei ddisgwyl wrth y giât a Robat yn sefyll yn herfeiddiol o'i flaen. O hynny ymlaen chafodd o ddim munud o lonydd ganddo, dim ond ei herian a'i fwlio'n ddidrugaredd. Doedd gan neb arall frawd mawr yng nghanol yr helynt, yn anffodus, ac er bod Defi a rhai o'r bechgyn eraill yn dal yn ffrindiau efo fo, roedden nhw'n gorfod troedio'n ofalus iawn gan fod ar bawb ofn Robat a'i griw.

'Mi fydd petha'n waeth byth yn yr ysgol fory,' meddyliodd, wrth gofio fod yr achos llys ymlaen ym Mangor. Dyna fraw gafodd ei fam ac yntau pan ddaeth Sarsiant Owen i gnocio ar y drws efo'r symans i'w ddau frawd. Ond roedd Wil a Llew wedi derbyn y peth yn hamddenol braf ac wedi addo bod yn y Rhinws yn gynnar y bore wedyn. Pan glywodd ei fam fod yna wyth ar hugain arall wedi cael symans hefyd roedd hi'n cysuro ei hun fod yna deuluoedd eraill yn yr ardal yn yr un helynt ac fe fu eu cymdogion yn garedig iawn wrthyn nhw, chwarae teg. Wrth feddwl am hyn dechreuodd deimlo'n well, ond roedd y wawr ar dorri cyn iddo o'r diwedd syrthio i gwsg anesmwyth.

Turbulent quarry affairs affect the attendance.

(Llyfr lòg Gerlan National School — 2 Tachwedd, 1900)

Pennod 3

'Oes raid i mi fynd i'r ysgol heddiw, Mam?' holodd Guto'n obeithiol fore trannoeth wrth ddisgwyl am ei frecwast. 'Fydda hi ddim yn well i mi aros adra i'ch helpu chi ac i gadw cwmpeini i chi?'

Gwelai ei ddau frawd yn wincio ar ei gilydd yr ochr arall i'r bwrdd. Dyna ryfedd oedd eu gweld wrth y bwrdd brecwast ar ddiwrnod gwaith fel hyn, ac yn eu dillad gorau hefyd. Digon tawel oedd y ddau, yn wahanol iawn i arfer, a'i fam yn ochneidio wrth droi'r uwd yn y sosban ar y tân glo.

'Na, dos di i'r ysgol fel arfar, Guto bach. Mi fydda i'n iawn.'

'Ga i fynd i Fangor efo Wil a Llew 'ta?'

'Nefoedd fawr, na chei! Gofala di nad ei di'n agos i'r lle. Mae gen i ddigon o ofid efo'r ddau hyna 'ma, heb i ti fynd i helynt eto.'

'Ond Mam . . .?'

'Yli, gwranda di ar Mam,' meddai Llew. 'Mi fyddwn ni'n dau'n iawn, gei di weld.'

'Byddwn siŵr,' meddai Wil. 'Wnaethon ni ddim byd o'i le, wyddost ti, dim ond cefnogi'r hogia.'

'Dim byd, wir,' meddai ei fam yn siort, gan droi i dywallt yr uwd poeth i mewn i'r dysglau.

Ymlaen ac ymlaen yr aeth y sgwrs, nes ei bod yn dda gan Guto gael esgus i adael y tŷ o'r diwedd, hyd yn oed os oedd yn rhaid iddo wynebu Robat wedi cyrraedd yr ysgol.

'Wyt ti am ddŵad i Fangor efo fi?' holodd Defi wrth i'r ddau gerdded i lawr yr allt i'r ysgol.

'Fiw i mi,' meddai Guto'n ddigalon. 'Mi gawn i chwip din iawn gan Mam.'

'Well i ni fynd i'r ysgol, felly?'

'Ia, brysia, neu mi fyddwn ni'n hwyr.'

Ychydig iawn o blant oedd i'w gweld ar iard yr ysgol y bore hwnnw, er ei bod bron yn naw o'r gloch. Edrychodd Guto o gwmpas yn wyllt i weld a oedd Robat wedi cyrraedd. Oedd, roedd o yno yn sefyll yn y gornel bellaf efo dau o'i ffrindiau ac yn amlwg yn cynllwynio rhywbeth. A, wel, roedd ganddo fwy na Robat i boeni amdano, a'i frodyr ar eu ffordd i'r llys. Yna sylwodd fod y prifathro yn sefyll wrth y drws a'i lygaid barcud yn gwylio pawb.

'Diolch byth!' meddai Guto wrtho'i hun. 'Feddyliais i 'rioed y byddwn i'n falch o'i weld o!'

Erbyn amser chwarae roedd hi'n amlwg fod y rhan fwyaf o'r plant wedi aros gartref, felly aeth Puw draw i gael gair efo Miss Thomas yn yr *Infants* a dod yn ei ôl i gyhoeddi'n bwysig: *'Well, it's obvious that most of the children have stayed away today, for some reason best known to themselves. School is dismissed for the rest of the day.'*

Rhoddodd Defi bwniad i Guto yn ei ochr a sibrwd, 'Bangor amdani 'ta!'

'David John Williams. Were you talking?'

'No sir,' meddai Defi ar unwaith.

'I'm glad to hear it, or I would have had to keep you here until dinner time. Now all of you are to go straight home. And I want to see you all here at nine o'clock sharp tomorrow morning. Understood?'

'Yessir,' meddai pawb fel côr a cherdded allan yn drefnus fesul rhes.

Unwaith eto fe gadwodd Puw y plant oedd yn eistedd ar yr un fainc â Robat tan yr olaf ac erbyn iddyn nhw ddod allan drwy'r drws roedd Defi a Guto wedi diflannu nerth eu traed i lawr y llwybr bach i Fethesda.

'Wel, ddoi di rŵan?'

'Wn i ddim.'

'Tyrd yn dy flaen. Yli, fydd 'na neb byth yn gwybod. Mi gei di ddweud wrth dy fam ein bod ni wedi bod i fyny'r Foel yn chwara.'

'Ia, ond mae rhywun yn siŵr o'n gweld ni.'

'Be, ynghanol yr holl bobol fydd yno? Paid â bod yn wirion. A does 'na ddim peryg i ni weld neb ar y ffordd yno achos roedd Nhad yn dweud neithiwr fod y dynion i gyd am adael y chwaral i gychwyn cerddad o'r Efail am wyth o'r gloch. Twt, maen nhw wedi hen gyrraedd Bangor bellach.'

'O, o'r gora. Mi awn ni!'

Roedd Stryd Fawr Bethesda yn od o dawel, yn union fel petai hi'n ddydd Sul. Brysiodd y ddau heibio i'r siopau gwag ac yn eu blaenau wedyn ar hyd y lôn bost i gyfeiriad y môr.

'Ew, mae'r ffordd 'ma'n hir,' cwynodd Defi wedi iddyn nhw gyrraedd y tyrpeg, rhyw ddwy filltir o'r pentref.

'Tyrd yn dy flaen, wir. Dim ond hannar ffordd ydan ni.'

Dyna pryd y clywson nhw sŵn carnau ceffyl yn dod o'r tu ôl iddyn nhw ar hyd y ffordd. Trodd y ddau i edrych pwy oedd yno a gweld ceffyl a throl yn dod i'w cyfeiriad.

'Helô, hogia. Lle 'dach chi'n mynd?'

'I Fangor.'

'Wel, neidiwch i mewn i'r drol. Rydach chi'n lwcus, achos i Fangor rydw inna'n mynd hefyd, fel mae hi'n digwydd. Wô, Mari fach.'

Arafodd y ferlen yn ufudd ac aros i'r ddau ddringo i fyny i'r drol cyn cychwyn eto ar ei thaith.

'Dyna lwc yntê? Ar y ffordd i'r cei rydw i rŵan, i ddanfon y tatws 'ma. Mi gewch chi bàs i fanno â chroeso, ond mi fydd yn rhaid i chi gerddad yr hannar milltir i'r dre wedyn.'

'Iawn, diolch yn fawr,' meddai'r ddau a setlo i lawr ynghanol y sachau tatws.

'Gawsoch chi ginio?' holodd y ffermwr ymhen sbel.

'Naddo.'

'Mae 'na fala yn y fasgiad acw. Helpwch eich hunain.'

'Ew, diolch.'

'A rhowch rai ym mhocedi eich trowsusau i'w bwyta'n nes ymlaen.'

Doedd dim rhaid dweud ddwywaith, ac estynnodd y ddau yn ddiolchgar am yr afalau bach cochion, caled.

Dyna braf oedd cael eistedd yno'n cnoi'n

hamddenol a'r ferlen fach yn tuthian yn esmwyth ar hyd y ffordd bridd galed, ond pan fyddai ambell garreg neu dwll yn ysgwyd y drol a hwythau i'w chanlyn.

'Mynd i'r llys, ia?' holodd y ffarmwr ymhen sbel. 'Ro'n i'n clywad fod 'na gannoedd o ddynion wedi gadael y chwaral yn gynnar bora heddiw er mwyn cerddad i lawr i Fangor.'

'Dim ond mynd i weld be sy'n mynd ymlaen yno rydan ni.'

'Wel dyma ni, y tro i'r cei. I lawr â chi, a chofiwch fod yn hogia da.'

'Mi wnawn ni. Diolch yn fawr i chi.'

The quarrymen _en bloc_ went down this morning to Bangor to accompany the 16 men who had warrants. Very few present in the morning. Dismissed at 11am and broke up for the afternoon.

(Llyfr lòg Carneddi British School — 6 Tachwedd, 1900)

Pennod 4

Wedi i'r ddau ffarwelio â'r ffarmwr ffeind, dim ond cwta hanner milltir o ffordd oedd ganddyn nhw wedyn i ganol y dref a'r llys, ond roedd y dyrfa i'w gweld o bell. *Crowd*

'Argian, mae 'na filoedd yma,' meddai Defi mewn syndod wrth i'r ddau ddod yn nes a gweld môr mawr o bobl yn ymestyn o'u blaenau.

'Weli di rywun rydan ni'n nabod?' holodd Guto'n nerfus.

'Paid â phoeni. Welith neb ni ynghanol rhain i gyd, siŵr. Tyrd yn dy flaen, wir.'

Cerddodd y ddau i ymuno â'r dyrfa enfawr o ddynion a gwragedd oedd yn sefyll y tu allan i'r llys. Agorodd eu llygaid fel soseri wrth weld rhes o filwyr yn eu cotiau cochion yn sefyll rhwng y dorf a'r drws. Yna sylweddolodd Guto fod pawb yn dawel, dawel. Neb yn siarad, neb yn dweud dim, a'r milwyr yn edrych ar ei gilydd yn anghyffordddus gan gydio'n dynnach yn eu gynnau, fel petaen nhw'n disgwyl helynt unrhyw funud.

Yna fe ddaeth llais o rywle yn y dorf i dorri ar y tawelwch, un o'r dynion yn dechrau canu a'r lleill yn ymuno o un i un. 'O, Arglwydd Dduw rhagluniaeth . . .' Roedd Guto'n gwybod yr emyn yn iawn, wedi ei ganu droeon yn y capel, ond doedd o ddim yn teimlo fel canu'r funud honno chwaith. Roedd lwmp mawr yn ei wddf wrth feddwl am Wil a Llew i mewn yn y lle ofnadwy yna yn rhywle.

Erbyn hyn roedd y milwyr yn edrych yn fwy anghyfforddus fyth ac yn syllu'n ddryslyd ar y dorf. Ymlaen ac ymlaen yr aeth y canu, gan chwyddo'n don fawr orfoleddus ar y diwedd. Yna distawrwydd a rhyw gyffro a symud, ond doedd y bechgyn ddim yn gallu gweld beth oedd yn mynd ymlaen.

'Maen nhw'n dŵad allan,' meddai rhywun, ac aeth ton o bryder drwy'r dorf enfawr a honno'n troi'n ochenaid o ryddhad wrth i bawb sylweddoli fod y bechgyn i gyd wedi cael dod yn rhydd. Yna symudodd y dynion oedd yn sefyll o flaen Defi a Guto i agor llwybr drwy'r canol a dechreuodd pawb guro dwylo a gweiddi hwrê. Pwy ddaeth heibio, a gwên fawr ar eu hwynebau, ond Wil a Llew a phob un o'r bechgyn eraill oedd wedi bod o flaen eu gwell y bore hwnnw.

'Diolch byth! Dydyn nhw ddim wedi gorfod mynd i'r jêl,' oedd y peth cyntaf a aeth drwy feddwl Guto wrth iddo sefyll ar flaenau ei draed i gael cip arnyn nhw'n cerdded heibio. Yna cofiodd nad oedd i fod yno o gwbl a phlygodd i lawr i guddio y tu ôl i ryw ddyn mawr tew.

'Hwrê!' gwaeddodd Defi. 'Maen nhw wedi cael dŵad yn rhydd!'

'Bydd ddistaw,' siarsiodd Guto'n flin, achos roedd o'n siŵr iddo weld Llew yn edrych yn syth tuag atyn nhw. 'Mae hi ar ben arna i,' meddai'n ddigalon. 'Mi welodd Llew fi ac mae o'n siŵr o ddweud wrth Mam.'

Ar y ffordd adref roedd y ddau'n gofalu cadw'n ddigon pell oddi wrth y bobl mewn oed ond, fel roedden nhw'n mynd heibio i fynedfa'r castell lle'r oedd cartref teulu'r Penrhyn ym mhentref Llandygái, fe drodd tad Defi yn ei ôl a'u gweld.

'Ac mi ddoist ti wedi'r cwbwl, y cena bach,' oedd y cyfan ddwedodd hwnnw wrth ei fab. 'A, wel. Mae'n iawn i chi gael gweld be sy'n digwydd i ni i gyd.'

'Be ddigwyddodd felly, Nhad? Ydi popeth drosodd?'

'Nag ydi, dim o bell ffordd, 'ngwas i. Mi gafodd yr hogia eu gollwng yn rhydd, ond fod pob un wedi gorfod talu swllt am y fraint. Mi fyddan nhw'n ôl yn y llys eto'r wsnos nesa.'

'O, na!' Suddodd calon Guto i'w sodlau, ac yntau wedi gobeithio fod y cyfan drosodd pan glywodd y dyrfa hapus yn gweiddi 'hwrê' y tu allan i'r llys.

'Paid ti â phoeni gormod, Guto bach,' meddai tad Defi'n glên wrth weld yr olwg boenus ar wyneb y bachgen. 'Mi fydd Wil a Llew yn iawn, gei di weld.

Mi glywais i fod Lloyd George ei hun yn dŵad i Fangor wsnos nesa i amddiffyn yr hogia.'

'Wnewch chi ddim dweud wrthyn nhw eich bod chi wedi 'ngweld i, na wnewch? Maen nhw'n siŵr o ddweud wrth Mam ac mi fydd hi ar ben arna i wedyn.'

'Na, ddweda i 'run gair, paid ti â phoeni dim. Ac mi fydd dy fam mor falch o weld yr hogia wedi cael

dwad yn rhydd, mi gei di faddeuant yn syth, gei di weld.'

Gwenodd Guto arno. 'Dydach chi ddim yn nabod Mam,' meddai wrtho'i hun.

Dyna braf oedd cael cerdded efo'r criw mawr yr holl ffordd yn ôl i Fethesda, yn enwedig gan ei bod hi wedi dechrau tywyllu erbyn hyn. Roedd y ddau yn teimlo'n dipyn o lanciau, ond wrth nesu at y pentref fe arafodd y dynion a sefyll.

'Be sy'n digwydd rŵan tybad?'

Yna daeth y newydd ar hyd y rhengoedd.

'Sarsiant Owen wedi dwad i'n cyfarfod ni efo newydd drwg. Lord Penrhyn wedi dweud fod pob un adawodd y chwaral bora heddiw yn cael ei atal o'i waith am bythefnos . . .'

'Dyma ddechrau gofidiau,' meddai tad Defi'n ddwys, ac roedd o'n iawn hefyd.

In consequence of some disturbance in the Quarry this morning, all the men returned about eight o'clock to march in procession to Bangor. The greater part of the children followed them and I was obliged to close school for the day.

(Llyfr lòg Tregarth National School — 6 Tachwedd, 1900)

Pennod 5

'Ydi Guto'n dŵad i'r ysgol?'

Dim ond hanner awr wedi wyth oedd hi, ond roedd Defi wedi rhedeg i lawr yr holl ffordd o Dan y Foel lle'r oedd o'n byw yn un o'r rhes tai bach isel wrth droed y mynydd. Roedd ar dân eisiau cael sgwrs efo'i ffrind cyn i'r ysgol ddechrau, ac yn ysu am gael gwybod beth ddigwyddodd y noson cynt wedi i Guto gyrraedd adref o Fangor. Gafodd o gweir, tybed?

Llew agorodd y drws iddo, a golwg digon digalon arno.

'Na, fydd o ddim yn yr ysgol heddiw, Defi,' meddai. 'Mae o yn ei wely'n sâl. Wnei di ddweud wrth y prifathro?'

'Gwnaf siŵr,' meddai Defi ar unwaith. 'Ydi o'n sâl iawn?'

'Ydi, mae arna i ofn. Disgwyl i'r doctor alw yr ydan ni. Mae Wil am fynd i lawr i'r syrjeri ar ei ffordd adra o'r chwaral yn y munud i ofyn iddo alw.'

Fe wyddai Defi'n iawn pam roedd Wil wedi gorfod mynd i'r chwarel ben bore. 'Mae Nhad newydd fynd yno hefyd, i nôl ei offer o'r cwt,' meddai.

'Dyna ti. Mae Wil am ddŵad â fy rhai i er mwyn i mi gael bod adra efo Mam.'

36

'Cofiwch fi at Guto,' meddai Defi'n ddigalon wrth droi am y giât.

'Iawn, Defi. Mi fydda i'n siŵr o wneud,' ac aeth Llew yn ei ôl i'r tŷ.

Dew, mae'n rhaid fod Guto'n wael iawn, meddyliodd Defi wrth fynd yn ei flaen i lawr yr allt tua'r ysgol. Roedd o'n amau ar y dechrau mai smalio'r oedd o, er mwyn cael aros gartref o'r ysgol i osgoi Robat, ond roedd golwg boenus iawn ar Llew a doedd neb yn anfon am y doctor heb fod gwir angen am ei fod mor ddrud. Gobeithio nad oedd yr hen *scarlet fever* hwnnw ar Guto, meddyliodd wedyn, wrth gofio fod dau o blant yr ysgol wedi marw o'r salwch dychrynllyd hwnnw y flwyddyn cynt.

'Lle mae dy fêt di heddiw?' gwaeddodd Robat yn sbeitlyd o ben draw'r iard wrth iddo gyrraedd giât yr ysgol. 'Gormod o fabi i ddŵad i'r ysgol hyd yn oed, ia? A ninna'n mynd i roi mwy o groeso nag arfar iddo fo heddiw, ar ôl be ddigwyddodd ddoe.'

Ddwedodd Defi'r un gair, dim ond cerdded yn ei flaen a'i ddwylo yn ei bocedi. Roedd ei ddau ddwrn wedi eu cau'n dynn, dynn, ond roedd o'n ddigon call i beidio â dangos ei fod wedi cael ei gynhyrfu. Dyna'n union beth roedd ar Robat ei eisiau — unrhyw esgus i godi twrw ac i roi'r bai ar rywun arall.

'Ac ers pryd mae'r crwtyn yn dost?' holodd Doctor
Gruffydd, gan edrych yn ddifrifol iawn ar Guto, a'i
law ar ei dalcen.

Fel arfer fe fyddai clywed Cymraeg dieithr y doctor
caredig o Sir Gaerfyrddin yn ei gwneud yn anodd
iawn i rywun beidio â chwerthin yn ei wyneb, ond
doedd dim gwên ar wyneb neb y bore hwnnw

'Ers neithiwr, Doctor. Mi wnes i ddeffro yn oria
mân y bora wrth ei glywad o'n troi a throsi yn y llofft
uwch fy mhen i. Roedd o'n boeth fel tân ac yn wlyb

o chwys ac felly mae o wedi bod byth ers hynny. Mae ei lygaid o'n boenus hefyd, ac yn goch i gyd.'

'Dere i mi gael gwrando ar dy frest di i ddechre,' meddai'r doctor yn glên gan godi'r dillad gwely a'r crys nos oedd amdano. 'Diar annwyl, ble gest ti'r cleisie yma ar dy fola?' holodd ymhen sbel.

'Syrthio wnes i,' meddai Guto'n floesg a thynnu ei grys nos i lawr yn frysiog i guddio'r marciau oedd wedi dechrau duo ar ei fol.

'Cwympo, ife? O, rwy'n gweld. Nawr cwyd ar dy eistedd i mi gael golwg ar dy lygaid di.' Syllodd yn ddwys ar Guto ac yna ymhen sbel meddai, 'Wel, Mrs Jones fach, mae arna i ofn y bydd yn rhaid iddo fe aros yn ei wely am wthnos o leia. Mae'n bwysig ei fod e'n yfed digon ac yn cadw'n gynnes, rhag ofn i'r dwymyn droi'n niwmonia neu'n rywbeth gwaeth. Ac fe gewch chi eli gen i i'w rwbio ar ei lygaid e.'

'Diolch yn fawr, Doctor,' meddai ei fam yn bryderus. 'Mi wna i'n siŵr ei fod o'n aros yn ei wely nes dowch chi yma eto i'w weld.'

Ar ei ffordd i lawr y pentref fe alwodd y doctor yn ysgol Carneddi i gael gair â'r prifathro.

The attendance this week dropped down considerably, owing to troublesome affairs in the Quarry.

(Llyfr lòg Gerlan National School — 9 Tachwedd, 1900)

Pennod 6

'Wyt ti'n teimlo'n well?'

Roedd Defi wedi cael dod i weld ei ffrind o'r diwedd. Syllodd arno'n gorwedd yno'n llipa ar y soffa o dan y ffenest, a siôl ei fam drosto. Roedd y llenni wedi eu cau a'r gegin yn edrych yn wahanol yn y llwyd dywyllwch, yn union fel petai rhywun wedi marw yn y tŷ. Rhaid fod llygaid Guto yn dal i'w boeni, fel llawer o'r plant eraill yn yr ysgol erbyn hyn. Ac roedd o'n edrych mor llwyd a thenau, a'i lygaid yn goch fel petai o wedi bod yn crio. Doedd o ddim yr un Guto rywsut.

'Dew, rydw i wedi bod bron â marw eisio dy weld di, cofia, i gael yr hanas i gyd. Mae 'na dros bythefnos er pan aethon ni i lawr i Fangor y diwrnod hwnnw. Be ddigwyddodd i ti? Gest ti gweir ar ôl cyrraedd adra?'

'Naddo, wrth lwc. Mi welodd Llew a Wil fi'n sleifio i mewn drwy'r drws cefn ac mi wnaethon nhw gymryd y bai — dweud mai efo nhw o'n i.'

'Chwara teg iddyn nhw.'

'Ia, achos roedd Mam yn estyn am y wialen fedw y munud y gwelodd hi fi. Wedi bod yn poeni amdana i drwy'r dydd, medda hi, unwaith y clywodd hi fod yr ysgol wedi cau.'

Syllodd Defi ar y wialen fedw oedd yn hongian ar ddwy hoelen uwchben y lle tân, gan roi ochenaid o ryddhad wrth feddwl nad oedd ei rieni o'n credu mewn cael peth felly yn y tŷ. Ond wedyn, wrth feddwl am y peth, roedd ei dad o'n fyw i'w roi dros ei lin pan fyddai'n hogyn drwg iawn.

'Pryd wyt ti'n cael dŵad yn ôl i'r ysgol?' holodd yn eiddgar.

'Wn i ddim yn iawn. Dydd Llun nesa, medda Mam, ond mae'n rhaid i mi fynd i lawr i'r syrjeri i weld y doctor gynta.'

'Ew, rydw i'n edrach ymlaen at dy gael di'n ôl, cofia.'

'Wel, dydw i ddim yn edrach ymlaen o gwbwl at fynd yn ôl i'r hen le 'na,' cyfaddefodd Guto. 'Ydi Robat yn dal i'w lordio hi ar yr iard?'

'Na, mae o'n ddigon distaw er pan est ti'n sâl. Mi gafodd bregath gan Puw am rwbath, ond does neb yn gwybod pam. A byth ers hynny rydw i a'r lleill wedi cael llonydd go lew ganddo fo.'

'Hy, mi fydd o'n llawn o'i hen gastia eto'r wsnos nesa, gei di weld. Unwaith y gwelith o fi,' meddai Guto gan ochneidio.

'Dweud wrth Wil a Llew amdano fo faswn i,' awgrymodd Defi.

'Na, dydw i ddim eisio eu poeni nhw. Mae ganddyn nhw ddigon i feddwl amdano fo.'

'Ond chawson nhw ddim eu gyrru i'r jêl, naddo? Ac mae'r dynion i gyd yn ôl yn y chwaral heddiw. Biti na chawson ni ddim mynd i lawr i Fangor pan oedd yr ail achos llys ymlaen, yntê?'

'Be? Est ti ddim?'

'Naddo, wàs. Doedd arna i fawr o awydd a chditha'n sâl yn dy wely.'

'Be ddigwyddodd, tybad?'

'Chlywaist ti ddim?'

'Naddo, dim gair. Does 'na neb wedi dweud dim wrtha i, dim ond fod Wil a Llew wedi cael dŵad yn rhydd, diolch byth.'

'Mi gafodd chwech o'r hogia eu gyrru i'r jêl am dri mis, cofia.'

'Pwy oeddan nhw felly?'

'Dau o hogia Rachub, a'r lleill o Gerlan rydw i'n meddwl.'

'Taw, fachgan. Dyna ofnadwy.'

'Ia, ac mi fu'n rhaid i'r hen Puw gau'r ysgol y diwrnod hwnnw hefyd. Doedd 'na fawr o neb yno.'

'Pam mae'r ysgol wedi cau heddiw 'ta?'

'Dydi hi ddim, siŵr. Fi sy'n gorfod mynd i lawr i'r pentra i nôl negas i Mam am fod Nain yn sâl.'

Y funud honno agorodd drws y ffrynt a cherddodd Wil a Llew i mewn a golwg gynhyrfus ar y ddau. Syllodd y ddau fachgen arnyn nhw mewn syndod.

Roedd hi'n amlwg fod rhywbeth mawr wedi digwydd yn y chwarel y bore hwnnw.

'Be sy'n bod?' holodd Guto. 'Damwain ar y graig?'

'Naci, 'ngwas i,' meddai Llew, gan eistedd i lawr yn flinedig a rhoi ei dun bwyd ar y bwrdd. 'Rydan ni ar streic!'

'Streic?' meddai'r ddau gyda'i gilydd. Roedden nhw wedi clywed y gair o'r blaen wrth wrando ar bobl yn trafod streic 1896, ond eu bod nhw'n rhy fach bryd hynny i gofio llawer am yr helynt.

'Be ydach chi'ch dau yn ei wneud adra?' meddai llais o'r drws cefn a cherddodd mam Guto i mewn gan sefyll yn stond ar ganol llawr y gegin a'i breichiau'n llawn o goed tân. Edrychodd y ddau ar ei gilydd yn euog heb ddweud gair.

'Ar streic rydan ni, Mam,' cyfaddefodd Llew o'r diwedd.

'Streic? O, na! Be ddaw ohonon ni? Dim ond heddiw roeddach chi i gyd yn dechra'n ôl . . .'

'Ia, a phan gyrhaeddon ni'r chwaral, dyna lle'r oedd y rheolwr, y Mistar Young felltith 'na, yn aros amdanon ni i ddweud nad oedd 'na ddim gwaith i wyth gant ohonon ni.'

'Wyth gant? Ond dim ond criw bach wnaeth godi helynt fis yn ôl. Ro'n i'n poeni rywsut na fyddech chi'ch dau yn cael mynd yn ôl, ond wyth gant? Pam yn y byd mawr roedd yn rhaid i'r Lord wneud peth mor ofnadwy?'

'Trio dangos mai fo ydi'r mistar,' meddai Wil yn chwerw. 'Ond mi geith o weld.'

'Mi gytunodd y dynion i gyd i alw streic, i ddangos iddo fo na cheith o ddim ein trin ni fel baw,' ychwanegodd Llew.

'Ond streic arall?' Roedd ei fam yn cofio'r caledi a'r tlodi bedair blynedd yn gynt pan fu'r dynion allan am flwyddyn bron. Ac i beth? Mynd yn ôl fu'n rhaid iddyn nhw bryd hynny, heb ennill dim. Cerddodd

at y tân ac agor drws y cwpwrdd bach yn ochr y grât
i roi'r coed i mewn ynddo i sychu erbyn y bore. Yna
gafaelodd yn y procer a rhoi pwniad i'r tân cyn mynd
i eistedd yn flinedig yn y gadair freichiau.
Ochneidiodd yn ddistaw a syllu i'r fflamau, gan
ysgwyd ei phen yn drist. Ddwedodd neb yr un gair
am hir wedyn ac roedd Defi'n teimlo'n
anghyfforddus iawn yn eistedd yno'n gwrando ar y
cloc mawr yn y gongl yn tician yn araf. Neb yn
dweud dim, dim ond edrych ar ei gilydd.

'Wel, well i mi fynd i nôl y negas 'na i Mam,'
meddai o'r diwedd. 'Wela i chdi eto, Guto.'

'Ia, well i ti fynd, Defi bach. Mi fydd dy fam yn
disgwyl amdanat ti ac mi fydd dy dad wedi cyrraedd
adra o dy flaen di, gei di weld.'

'Bydd,' meddai Defi'n ddwys. Tybed sut le fyddai
yn ei gartref yntau pan glywai ei fam fod y
chwarelwyr i gyd ar streic unwaith eto?

*A considerable drop in the weekly average attendance
figures, from 317 to 292. Several children are
suffering from inflammation of the eyes, but many
are taking advantage of the Lock-Out in the
Quarry.*

(Llyfr lòg Carneddi British School — 7 Rhagfyr, 1900)

Pennod 7

'Dwyt ti ddim yn edrach ymlaen at gael mynd yn ôl i'r ysgol 'na heddiw, wàs?' holodd Wil wrth y bwrdd brecwast, ar fore dydd Llun cyntaf y flwyddyn newydd. Roedd wedi sylwi nad oedd Guto'n bwyta'i uwd, dim ond ei symud yn freuddwydiol o gwmpas y bowlen efo'r llwy.

Doedd o ddim wedi cael mynd yn ei ôl i'r ysgol cyn y Nadolig wedi'r cyfan. Roedd yr annwyd wedi troi'n beswch cas a'i fam wedi penderfynu ei gadw gartref tan ddechrau'r flwyddyn. Nadolig digon digalon gawson nhw hefyd, dim arian yn dod o unman a dim ond hen iâr wydn wedi ei berwi a'i rhostio wedyn i ginio ar ddiwrnod yr ŵyl. Ond o'r diwedd roedd yr ysgol yn ailagor a Guto yn gorfod meddwl am wynebu Robat unwaith eto, wedi cael mis o lonydd.

'Ateba dy frawd mawr,' meddai ei fam yn flin, wrth ei weld yn dal i synfyfyrio. 'A thyrd yn dy flaen, bwyta dy frecwast neu wnei di byth gryfhau ar ôl yr annwyd 'na. Rwyt ti'n edrach ymlaen at gael mynd yn ôl i'r ysgol, siawns?'

'Ydw a nac ydw,' oedd yr ateb digalon.

'Pam, be sy'n bod felly?' holodd Llew o'r ochr arall i'r bwrdd.

'O, dim byd,' meddai Guto ar unwaith, gan golli cyfle i agor ei galon a dweud wrthyn nhw am y pryder a'r ofn oedd fel cwmwl mawr du uwch ei ben ers dechrau'r holl helynt, dros ddau fis yn ôl bellach.

'Wedi dechra cael blas ar fod adra mae o,' meddai ei fam yn siort. 'Ond rwyt ti'n well o lawar erbyn hyn, Guto, ac yn ddigon abal i fynd yn ôl i'r ysgol 'na cyn i ni fynd i helynt am dy gadw di adra o hyd. Ond cofia di gadw'n gynnas, mae'r tywydd yn ofnadwy o oer ac mae hi'n gaddo mwy o eira eto, meddan nhw.'

'Fydda ddim gwell i mi aros adra eto wsnos yma, Mam? Mi fydd yr ysgol yn oer ac yn damp ar ôl bod ar gau am bron i bythefnos, a dydw i ddim eisio cael mwy o annwyd, nag oes?'

'Na, mi gei di lapio'n gynnas a rhoi dy sgidia gora am dy draed. Mi wneith les i ti fynd allan o'r tŷ 'ma.' Roedd yn amlwg fod ei fam yn benderfynol o'i anfon yn ei ôl cyn iddo gael mwy o flas ar fod gartref fel ei ddau frawd mawr, a gwelodd y ddau'n wincio ar ei gilydd gan wneud eu gorau glas i beidio â gwenu.

'Iawn, wela i chi amsar cinio,' meddai'n ddewr a gwneud ei hun yn barod erbyn i Defi alw amdano.

'Paid ti â phoeni dim,' meddai Defi ar eu ffordd i lawr yr allt i'r ysgol. 'Mi edrycha i ar dy ôl di.' Roedd wedi sylwi fod golwg llwyd ofnadwy ar ei ffrind o hyd a'i lygaid yn dal braidd yn goch a dyfrllyd. Roedd hi'n amlwg nad oedd o'n edrych ymlaen at orfod wynebu Robat unwaith eto. 'Dydi Robat ddim mor boblogaidd ag y buo fo, wyddost ti,' aeth Defi yn ei flaen i geisio ei gysuro. 'Wedi'r cwbwl, mae teulu pawb yn yr un cwch â ni erbyn hyn.'

Pan gyrhaeddodd y ddau yr iard, fe redodd criw o fechgyn atyn nhw'n syth a neidiodd calon Guto i'w wddf mewn braw. Syllodd yn wyllt o'i gwmpas ond doedd Robat ddim yn un ohonyn nhw, diolch byth.

'Wyt ti'n well, wàs?'

'Dew, mi fuost ti'n sâl am hir, do?'

'Rwyt ti'n dal yn llwyd hefyd.'

'Mi ges i bêl newydd Dolig. Be am gêm amsar chwara?'

Roedd Guto wedi ei synnu gan y croeso, yn enwedig gan fod rhai o'r rhain yn ffrindiau efo Robat, neu yn ei ddilyn fel defaid i bobman fel arfer.

'Mi ddeudais i y bydda popeth yn iawn, do?' meddai Defi'n galonnog, ac yn wir doedd dim golwg o Robat yn unman, hyd yn oed ar ôl i'r gloch ganu. Dechreuodd calon Guto godi a'i ddychymyg redeg ras. Tybed oedd Robat yn sâl, yn sâl ofnadwy? Neu wedi marw hyd yn oed? Fe fyddai hynny'n setlo ei broblemau i gyd! Yn ei ddychymyg gallai ei weld ei hun yn dod yn arweinydd y bechgyn hynaf yn yr ysgol ar ôl cael gwared â'r bwli, a phawb yn ufuddhau iddo.

Daeth llais cras y prifathro i dorri ar y freuddwyd felys a martsiodd pawb i mewn drwy'r drws ac i mewn i'r dosbarth. Roedd rhyw ias oer, llaith yn treiddio drwy'r ystafell fawr dywyll, er bod y tân glo yn y grât yn gwneud ei orau i sirioli'r lle. Aeth Guto i sefyll wrth y fainc yn ei le arferol i ddisgwyl i Puw ddod i mewn o'r drws. Fe ddaeth hwnnw o'r diwedd, a Robat a John Tŷ Pen wrth ei gwt. Suddodd calon Guto i'w sodlau.

'*You only just made it in time, boys,*' meddai'r prifathro'n flin. '*Another few seconds and I would have had to mark you late. Where have you been?*'

'*Down to the village, sir. A* negas *for my mother.*' Roedd Robat yn ymladd am ei wynt ac yn amlwg wedi rhedeg yr holl ffordd i'r ysgol.

'*Errand, boy — errand,*' meddai'r prifathro'n ddiamynedd. '*And what about you, John Henry? Another errand?*'

'*No, sir. I went with Robat for company.*'

'*Company, indeed! Well, you can both stay in and keep each other company during morning playtime to make up for the time we've wasted this morning. Go to your places at once, both of you!*'

'Wel, dyna fi'n saff am sbel eto,' cysurodd Guto ei hun wrth wylio'r ddau yn cerdded yn benisel i'w lle ar y fainc. Gyda lwc fe gâi gyfle i redeg adref o'u blaenau amser cinio hefyd. Doedd dim i'w wneud ond gobeithio'r gorau.

Dyna hwyl oedd cael cicio pêl amser chwarae a chael cynhesu tipyn ar ôl bod yn eistedd yn llonydd mor hir. Roedd ei ddwylo'n teimlo fel dau lwmp o rew ar ôl bod yn gafael yn y llechen oer wrth wneud ei syms. Doedd dim gobaith cael defnyddio pìn dur a phapur i wneud y gwaith ysgrifennu yn y wers *Composition* ar ôl amser chwarae chwaith, gan fod yr inc wedi rhewi yn y cwpanau bach tegan oedd wedi eu gosod yn y tyllau ar y meinciau. Teimlad braf oedd cael bod yn rhydd, heb orfod edrych dros ei ysgwydd bob munud na theimlo rhyw gnoi annifyr yn ei stumog. Roedd Guto wrth ei fodd, yn enwedig wrth weld pawb mor gyfeillgar, pawb ond y criw bach oedd yn amlwg yn dal yn ffrindiau efo Robat. Doedden nhw ddim yn ymuno yn y gêm, ond yn gwneud rhyw ddrygioni ym mhen pellaf yr iard yn ôl pob golwg. Yna sylweddolodd yn sydyn y byddai'n rhaid iddo fynd i'r tŷ bach cyn mynd yn ei ôl i'r dosbarth.

'Fedri di ddim dal tan amsar cinio?' oedd cwestiwn Defi. Roedd ei ffrind yn amlwg yn mwynhau cicio'r bêl o un pen o'r iard i'r llall ac yn anfodlon iawn rhoi'r gorau i'r gêm tan y funud olaf.

'Na fedraf, mae'n rhaid i mi fynd rŵan.' Ac yn wir roedd Guto druan yn dechrau dawnsio erbyn hyn, rhwng yr oerni a holl gyffro a phryder y bore. Rhedodd i'r tai bach drewllyd yng nghefn yr ysgol, gan adael Defi yn dal i chwarae pêl yn hapus.

Yna, pan oedd ar ei ffordd allan oddi yno, pwy oedd yn sefyll o'i flaen yn tywyllu'r drws ond Robat. Roedd y peth mor annisgwyl ac yntau wedi meddwl ei fod yn ddiogel am sbel. Rhaid fod hwnnw wedi gofyn am gael mynd i'r tŷ bach cyn diwedd amser chwarae a Puw wedi rhoi caniatâd iddo. Gwelwodd Guto a dechrau teimlo'n benysgafn. Yna camodd yn ôl yn nerfus.

'O, a sut mae'r babi mawr erbyn hyn? Dal i gael mwytha gan Mam, ia? A lle mae'r ddau frawd 'na sydd gen ti? Yn y jêl ddylan nhw fod, fel y lleill! Aros di, wàs, rwyt ti'n gofyn amdani. Rydw i wedi disgwyl yn hir am y cyfla yma a chofia di nad wyt ti'n dweud gair wrth Puw am hyn neu mi gei di gweir arall!'

Cymerodd gam bygythiol tuag ato a'i ddyrnau'n barod. Roedd Guto druan bron â llewygu, ac yntau'n dal yn wan ar ôl bod mor wael, ond safodd yn ddewr i wynebu'r bwli. Yna'n sydyn rhuthrodd criw o'r bechgyn eraill i mewn a sefyll yn herfeiddiol rhwng y ddau. Defi oedd yn eu harwain, yn amlwg wedi gweld Robat yn sleifio allan o'r ysgol gan anelu am y tai bach ac wedi sylweddoli'r perygl. Ond roedd tua hanner dwsin o fechgyn eraill yno hefyd, Ben Tŷ Cerrig yn un. Ie, wel, fe fyddai Guto'n disgwyl iddo fo fod yn driw iddo, ond beth am y lleill? Dyma'r rhai oedd yn arfer dilyn Robat i bobman y tymor cynt, er na wnaethon nhw erioed ddim byd i Guto chwaith, dim ond cytuno efo'r bwli er mwyn achub eu crwyn eu hunain.

'Wel, a phwy sydd gynnon ni yn fanma?' meddai Robat yn wawdlyd, er nad oedd o'n edrych llawn mor sicr ohono'i hun erbyn hyn. Roedd wedi sylweddoli'n syth nad oedd yr un o'i fêts pennaf yn y criw. 'Does arna i ddim angen eich help chi i setlo hwn, hogia. Mae o mor wan â chath! Sefwch yn ôl, rydw i'n barod amdano fo.'

'Gad ti lonydd i Guto,' meddai Defi'n syth. 'Mae

o wedi diodda digon a dwyt ti ddim i gyffwrdd pen dy fys ynddo fo o hyn ymlaen, wyt ti'n dallt?'

'Hy, pwy sy'n dweud?'

'Ni i gyd, yntê hogia?'

'Ia,' cytunodd y lleill i gyd, gan synnu Guto yn fwy na Robat hyd yn oed.

'O, wela i,' meddai Robat yn flin. Fel pob bwli, doedd o'n neb heb ei ffrindiau o'i gwmpas i'w gefnogi. 'Dydw i ddim digon da gynnoch chi rŵan felly?' Syllodd yn gas ar y bechgyn oedd wedi arfer bod yn fêts iddo.

'Byhafia di dy hun o hyn allan a gad ti lonydd i Guto, neu mi fyddwn ni i gyd yn dy ben di, yn byddwn, hogia?'

'Byddwn,' meddai pawb eto ac fe fu'n rhaid i Robat fynd yn ei ôl i'r dosbarth a'i gynffon rhwng ei goesau. Ond ddim cyn gwneud un ymdrech arall i gael y gair olaf.

'Arhoswch chi, fe gewch chi i gyd dalu am hyn! O, cewch!'

Wrth gerdded adref ar ddiwedd y bore hwnnw, roedd Guto'n teimlo'n hapusach nag y bu ers misoedd. Chwarddai'n braf wrth wrando ar Defi yn mynd trwy'i bethau ac roedd ei fochau cochion a'i wyneb siriol yn ddigon i godi calon ei fam hefyd pan gyrhaeddodd y tŷ.

'Wel, wir, ro'n i'n iawn pan ddeudais i y byddai

mynd i'r ysgol yn gwneud lles i ti, Guto bach. Rwyt ti'n edrach yn well o lawar.'

'Rydw i'n teimlo'n well o lawar hefyd, Mam,' meddai Guto'n hapus a mynd yn syth at y bwrdd i fwynhau llond powlen o lobscows poeth a'r sêr yn nofio ar ei wyneb.

Most of the writing was done on slates this week as the weather was extremely cold.

(Llyfr lòg Tregarth National School — 11 Ionawr, 1901)

❧ *Pennod 8*

Amser hapus oedd hwnnw i Guto, er bod y tywydd yn oer ddifrifol yn ystod wythnosau cyntaf y flwyddyn a'r tlodi mawr yn golygu nad oedd yna lawer o fwyd maethlon i'w gael. Ond roedd o'n cryfhau'n araf ar ôl ei salwch ac yn dod i edrych yn well bob dydd. Un rheswm am hyn oedd ei fod yn cael llonydd gan Robat, er bod hwnnw'n dal i'w fygwth o dan ei wynt bob tro y câi gyfle. Erbyn hyn roedd pawb yn dechrau edrych ymlaen at y gwanwyn a'r haf, pan fyddai pysgod yn yr afonydd, digon o gocos ar lan môr Aberogwen a llus i'w hel ar lethrau'r Foel.

Yna, ynghanol mis Mawrth, fe ddaeth Guto adref o'r ysgol un prynhawn i glywed newydd syfrdanol. Pan gerddodd i mewn i'r gegin, dyna lle'r oedd ei fam yn eistedd yn y gadair freichiau yn crio. Am eiliad meddyliodd fod rhywun wedi marw yn y teulu, roedd golwg mor druenus arni. Ond, erbyn deall, Wil a Llew oedd wedi penderfynu mynd i ffwrdd i chwilio am waith.

'Ond mae'n rhaid i ni wneud rwbath,' meddai Wil. 'Triwch ddallt, Mam bach. Fedrwn ni ddim aros adra fel hyn o fis i fis yn gwneud dim byd a dim pres yn dod i mewn i'n cadw ni i gyd.'

'Ond mae pawb yn yr un twll a does neb arall wedi meddwl am fynd mor bell i chwilio am waith.'

'Oes, tad,' mynnodd Llew. 'Mae 'na griw wedi mynd i Loegar yn barod.'

'Ond nid i ben draw'r byd,' mynnodd hithau'n daer.

'Lle 'dach chi'n meddwl mynd felly, hogia?' holodd Guto.

Ddwedodd yr un o'r ddau ddim gair, dim ond edrych arno'n euog braidd.

'I Mericia, Guto bach,' meddai ei fam o'r diwedd, gan ochneidio fel petai'r byd ar ben. 'I be ar y ddaear maen nhw eisio mynd mor bell, wn i ddim. Welwn ni byth mohonyn nhw wedyn tra byddwn ni byw.'

'Peidiwch â siarad yn wirion, Mam. Mi wnawn ni ein ffortiwn yno a dŵad adra i'ch gweld chi'ch dau yn reit fuan, gewch chi weld.'

'A gyrru pres adra i'ch cadw chi hefyd,' addawodd Llew. 'Dydi'r mymryn rydan ni'n ei gael o gronfa'r streic ddim chwartar digon a fedrwn ni ddim byw ar fara llefrith ac amball i wningan am weddill ein hoes!'

'Ond lle cewch chi bres i dalu am long i fynd yno?' holodd Guto. 'Mi fydd yn costio ffortiwn i chi.' Fe wyddai'n iawn ble'r oedd Mericia ar y map mawr ar wal yr ysgol ac roedd Puw wedi sôn llawer am yr *United States of America* yn y gwersi *Geography*.

Tybed oedd Wil a Llew yn sylweddoli taith mor bell fyddai hi yno dros y môr?

Edrychodd y ddau arno'n ddryslyd ac yna ar ei gilydd. Roedd hi'n amlwg nad oedden nhw wedi ystyried y gost, dim ond wedi meddwl am gael cyrraedd y Byd Newydd a gwneud eu ffortiwn yno. Soniwyd 'run gair am fynd i America ar ôl y prynhawn hwnnw, ond ymhen yr wythnos roedd y ddau wedi penderfynu teithio i lawr i gymoedd glo'r de i chwilio am waith. O leiaf roedden nhw wedi llwyddo i grafu digon o arian i dalu am docyn trên i lawr i'r fan honno. Doedd ei fam ddim yn dadlau cymaint yn erbyn iddyn nhw fynd erbyn hyn, chwaith, wedi cael cymaint o ryddhad nad oedden nhw am groesi'r Iwerydd i'r wlad bell. Wedi'r cyfan, er bod Maesteg, lle'r oedd ei chyfnither Meri'n byw, yn rhy bell o lawer yn ei barn hi, roedd meddwl amdanyn nhw'n gweithio yn y fan honno yn well na'u gweld yn mynd i ben draw'r byd!

'Mae Wil a Llew yn mynd i ffwrdd i'r Sowth i weithio,' cyhoeddodd Guto wrth ei ffrind wrth i'r ddau gerdded i'r ysgol fore trannoeth.

'Mae Nhad yn sôn am fynd hefyd,' meddai Defi'n ddigalon.

'Pam, dwyt ti ddim eisio iddo fo fynd? Mae'n rhaid i ni gael pres o rwla, medda Wil a Llew.'

'Oes, mi wn i, ond wyt ti wedi sylweddoli mai ni

fydd yn gorfod gwneud yr holl waith o gwmpas y lle
'ma wedyn? Bwydo'r ieir a hel coed tân a phalu'r
ardd a phetha felly?'

'Wel na, wnes i ddim meddwl am hynny,'
cyfaddefodd Guto, 'ond wneith y streic ddim para
am byth, siŵr. A meddylia mor braf fydd hi arnon
ni pan ddôn nhw adra'n ôl.'

'Wyt ti am fynd i'r stesion i'w gweld nhw'n
cychwyn?'

'Na, cha i ddim gan Mam. Maen nhw'n mynd ar
y trên saith bora fory.'

Cerddodd y ddau'n dalog drwy giât yr ysgol ac
i mewn i'r iard at y plant eraill oedd yno'n disgwyl
i'r gloch ganu. Dyna braf oedd cael gwneud hynny
heb boeni bellach am Robat a'i griw. Roedd y criw
mawr o ffyddloniaid fyddai'n arfer tyrru o gwmpas
y bwli erstalwm wedi mynd yn griw bach iawn erbyn
hyn — dim ond John Tŷ Pen a rhyw dri arall oedd
yn byw yn yr un stryd ag ef.

Yna sylwodd Guto fod y pump ohonyn nhw'n
sefyll yn un cylch wrth y wal yng nghornel bellaf yr
iard, fel petaen nhw'n ceisio cuddio rhywbeth.
Cofiodd fel y byddai ef ei hun yn dioddef ac yn
cyrcydu yn erbyn y wal yn yr union fan pan fyddai'n
cael ei fygwth a'i ddyrnu ganddyn nhw erstalwm.
Roedd golwg digon bygythiol ar y bwli y funud
honno hefyd a phenderfynodd Guto fynd draw i weld
beth yn union oedd yn digwydd.

'Edrycha, Defi, mae Robat yn gwneud rhyw

ddrygioni yn fan'cw,' meddai. 'Tyrd i weld be sy'n mynd ymlaen.'

'Fydda ddim gwell i ni adael llonydd iddo fo?' awgrymodd Defi'n syth. Doedd o ddim am fynd i helynt heb fod eisiau.

'Na, maen nhw'n cam-drin rhywun,' mynnodd Guto. 'Rydw i'n mynd draw i weld.'

Ac yn wir, erbyn iddo fynd yn nes, fe welai fachgen bach o *Standard 3* yn sefyll yn ei gwman ac yn pwyso yn erbyn y wal. Roedd o'n sniffian crio a Robat yn amlwg yn mwynhau ei herian.

'Hei, be 'dach chi'n neud?' gwaeddodd Guto. 'Gadwch lonydd i Ned bach.'

'Meindia dy fusnas,' chwyrnodd Robat. 'Mae hwn yn gofyn amdani, yn galw enwa arnon ni o hyd.'

'O, ac rwyt ti'n dechra pigo ar blant llai na chdi dy hun rŵan, wyt ti? Ddim digon o ddyn i'n hwynebu ni, ia?' Defi oedd yno, wedi dod draw gyda'r bechgyn eraill i sefyll mewn hanner cylch y tu ôl i Guto.

'Rho gweir iawn iddo fo, Guto,' gwaeddodd rhywun ac, yn sydyn, fe sylweddolodd Guto mai dyna'n union beth fyddai'n rhaid iddo'i wneud. Ac er nad oedd arno unrhyw awydd ymladd â'r bwli y funud honno, torchodd ei lewys a chodi ei ddyrnau yn barod am y ffrwgwd. Yna sylwodd fod Robat yn edrych yn llechwraidd tuag at ddrws yr ysgol a gwenodd. Roedd yn deall yn iawn beth oedd yn mynd trwy'i feddwl.

Gweddïo am i'r gloch ganu mae o, meddai wrtho'i
hun. Yn union fel y byddwn i erstalwm.

Ac yn wir fe ddaeth Puw allan ar y gair, gan ddal
y gloch yn ei law a'i hysgwyd yn ôl ac ymlaen yn
ffyrnig. Rhedodd pawb i'w llinellau'n syth.

Diolch byth, meddai Guto wrtho'i hun, gan
deimlo ryw ryddhad rhyfedd. Roedd yn gas ganddo
feddwl am frifo neb, hyd yn oed Robat, gan ei fod
yn gwybod yn iawn beth oedd dioddef poen. Roedd

o'n sylweddoli hefyd fod Robat yn llawer cryfach nag o, ond eto fe wyddai ym mêr ei esgyrn y byddai'n rhaid iddo setlo'r bwli unwaith ac am byth os oedd am gael llonydd ganddo. Ond doedd o ddim yn barod i wneud hynny eto.

Many families appear to be leaving the neighbourhood and during the last few weeks twelve or fifteen girls have left school.

(*Llyfr lòg Glanogwen National Girls' School — 16 Mawrth, 1901*)

Pennod 9

'Ga i gerddad adra o'r ysgol efo chi pnawn 'ma, hogia?' holodd Magi, cyfnither Guto, amser chwarae un prynhawn yn fuan ar ôl gwyliau'r Pasg.

Edrychodd Guto a Defi arni'n hurt.

'Ond rwyt ti'n gwybod y ffordd yn iawn,' chwarddodd Defi. 'Be sy'n bod arnat ti, hogan?'

Chwerthin wnaeth Guto hefyd. 'Dydan ni ddim yn mynd yr un ffordd â chdi, siŵr,' meddai'n ysgafn. 'Wyt ti'n disgwyl i ni dy ddanfon di'r holl ffordd i Bontucha?'

'Wel . . .' Roedd hi'n amlwg fod Magi yn ei chael hi'n anodd egluro. 'Na, hidiwch befo,' meddai'n gloff. 'Mi fydda i'n iawn.'

Ond wrth weld yr olwg bryderus ar ei hwyneb fe synhwyrodd Guto fod rhywbeth mawr o'i le, oherwydd fe wyddai ei bod hi'n eneth gall fel arfer ac yn hen o'i hoed. Er mai dim ond un ar ddeg oedd hi, roedd hi'n gefn mawr i'w mam ac yn helpu i edrych ar ôl y plant llai yn y teulu.

'Tyrd yn dy flaen, Magi fach,' meddai, yn fwy caredig y tro hwn. 'Well i ti ddweud wrthan ni be sy'n dy boeni di.'

'Anghofiwch o,' meddai hithau'n siort a rhedeg yn syth at y genethod eraill ar yr iard.

Wedi iddo fynd yn ei ôl i'r dosbarth bu Guto'n pendroni llawer tybed beth oedd yn bod arni. Yn wir, fe gafodd ffrae gan Puw am beidio â gwrando arno'n traethu'n ddiddiwedd am y *British Empire* yn y wers *History*. Gwnaeth ei orau glas i ganolbwyntio ar ôl hynny, ond roedd ei feddwl yn dal i grwydro er ei waethaf, yn ceisio dyfalu beth ar y ddaear oedd yn poeni Magi. Trodd ei ben i syllu arni a'i gweld yn edrych yn bryderus o'i blaen, ei gwefusau wedi cau'n dynn. Yna sylwodd fod Robat, oedd yn eistedd ychydig yn uwch i fyny wrth y fainc y tu ôl iddi, yn rhoi ambell gic iddi yn ei chefn â blaen ei droed. Fe wnâi hithau ei gorau i aros yn llonydd, rhag ofn iddi gael ffrae gan Puw, ond roedd hi'n amlwg mewn poen. Yna'n sydyn fe sylweddolodd beth oedd yn bod. Wrth gwrs! Roedd Robat a hithau'n byw yn agos i'w gilydd a rhaid ei fod wedi dechrau ei bwlio ar y ffordd yn ôl ac ymlaen i'r ysgol.

'Yr hen ddiawl bach,' oedd sylw Defi pan awgrymodd Guto hyn iddo ar eu ffordd allan ar ddiwedd y prynhawn. 'Rwyt ti'n siŵr o fod yn iawn hefyd. Mae o'n union y math o beth y bydda fo'n ei wneud, yn tydi? Am na fedar o wneud dim byd i ni rŵan mae o'n dechra troi ar y genod.'

'Ac yn dial ar Magi am ei bod hi'n perthyn i mi.'

Roedd Guto wedi ei gynddeiriogi wrth feddwl am y peth ac yn dechrau teimlo ei bod hi'n hen bryd iddo setlo'r bwli unwaith ac am byth. Safodd wrth y drws i ddisgwyl i Magi ddod allan.

'Tyrd, fe wnawn ni dy ddanfon di adra,' meddai wrthi'n garedig.

'Y Robat 'na sy'n dy boeni di, yntê?' holodd Defi.

'Ia,' cyfaddefodd hithau. 'Dydw i'n cael dim llonydd ganddo fo.'

'A finna'n meddwl ei fod o wedi dysgu'i wers,' meddai Defi'n siomedig. 'Mae o wedi bod yn ddigon distaw, byth ers y diwrnod hwnnw pan wnaeth Guto fygwth rhoi cweir iddo fo am fwlio Ned bach. Ydach chi'n cofio?'

Oedd, roedd y ddau yn cofio'n iawn, er bod mis bron ers hynny. Roedd Robat wedi mynd i'w gragen yn arw ar ôl sylweddoli nad oedd ar Guto ddim mymryn o'i ofn bellach. Yn wir, roedd o wedi bihafio mor dda nes fod Guto wedi penderfynu anghofio am yr holl helynt fu rhyngddyn nhw a gadael llonydd iddo. Yn enwedig ar ôl i Puw eu rhybuddio y byddai unrhyw un oedd yn ymladd a chodi twrw oherwydd yr helynt yn y chwarel yn cael ei yrru o'r ysgol am byth. Roedden nhw wedi hen arfer â theimlo blas y gansen ganddo pan fydden nhw'n gwneud rhywbeth o'i le, ond roedd hyn yn ganmil gwaeth. Fe wyddai pob un ohonyn nhw beth oedd yn debyg o ddigwydd i blant drwg iawn — cael eu hanfon i'r 'llong fawr'! Roedd honno wedi ei hangori ar afon

Menai a dyna lle byddai plant oedd wedi troseddu yn cael eu gyrru i'w cosbi, neu dyna fyddai mamau'r ardal yn ei fygwth bob tro y byddai yna unrhyw helynt. Roedd cael eich cloi yn y sbens, y twll dan y grisiau, yn ddigon o gosb — ac roedd hynny wedi digwydd i Guto fwy nag unwaith — ond doedd arno ddim awydd profi bywyd ar y 'Clio' chwaith.

'Dim ond chdi sy'n diodda, neu ydi o'n poeni'r genod eraill hefyd?'

'Ydi, mae 'na ddwy o genod wedi aros adra o'r ysgol drwy'r wsnos yma am fod arnyn nhw ei ofn o.'

'Mae o'n gofyn amdani felly,' meddai Guto'n ffyrnig.

'Ond fiw i ni gyffwrdd ynddo fo, cofia,' siarsiodd Defi. 'Wyt ti ddim yn cofio'r rhybudd gawson ni gan Puw?'

'Mi wn i hynny'n iawn, neu mi fydd yn siŵr o ddweud wrth ei dad.'

'Bydd, ac mi fydd hwnnw yn yr ysgol ben bora fory yn achwyn arnon ni.'

'Yli, be wnawn ni ydi danfon Magi adra rŵan. Rydan ni'n siŵr o'i gwarfod o ar y ffordd yn rwla.'

'Iawn. Paid ti â phoeni, Magi fach. Mi godwn ni gymaint o ofn arno fo nes y cei di a'r genod eraill lonydd o hyn allan.'

'Diolch byth!' oedd ei sylw hithau. 'Ond cofiwch beidio â mynd i helynt drosta i.'

'Wnawn ni ddim, siŵr. Mae o'n gymaint o hen

fabi, mi fydd yn ddigon hawdd ei ddychryn o, gei di weld. Yn enwedig gan ei fod yn gwybod ein bod ni i gyd yn ei erbyn o rŵan.'

Doedd dim golwg o Robat ar y ffordd i Bontuchaf. Rhaid ei fod wedi eu gweld yn cychwyn ac wedi oedi yn rhywle ar y ffordd. Wedi gwneud yn siŵr fod Magi'n cyrraedd y tŷ'n ddiogel, bu'r ddau yn loetran am sbel i ddisgwyl amdano, ond ddaeth o ddim.

'Be am gychwyn adra?' awgrymodd Defi o'r diwedd. 'Mi fydd Mam yn disgwyl amdana i ac ella gwelwn ni o ar y ffordd yn ôl.'

Cychwynnodd y ddau yn eu holau i Garneddi ac, yn wir, pwy ddaeth i'r golwg ymhen sbel ond Robat a John Tŷ Pen, yn sgwrsio'n ddwys ac yn amlwg yn cynllwynio rhywbeth.

'Hy, edrychwch pwy sydd wedi bod yn Bontucha yn edrach amdanon ni,' meddai Robat yn hy, ond roedd golwg wedi dychryn ar John ei ffrind.

'Wnes i ddim byd, hogia,' meddai hwnnw'n ofnus a chychwyn rhedeg nerth ei draed heibio iddyn nhw.

'Gad iddo fo fynd,' meddai Defi dros ei ysgwydd gan sefyll fel plismon o flaen Robat a syllu arno'n gas. 'Hwn rydan ni am ei setlo heddiw.'

'Wel, mae hi'n edrach fel 'tai dy ffrindia di i gyd yn dy adael di,' oedd sylw Guto.

'Be dach chi isio, hogia?' Doedd Robat ddim yn edrych mor siŵr ohono'i hun erbyn hyn.

'Dwyt ti'n gwrando dim, nag wyt?'

'Gwrando be?'

'Mi wnaethon ni dy siarsio di fisoedd yn ôl fod yn well i ti fihafio, neu . . .'

'Rydw i *wedi* gadael llonydd i chi,' mynnodd Robat yn flin.

'Wyt, ac wedi i ti gael rhybudd arall i beidio bwlio hogia llai na chdi dy hun, be wnest ti wedyn? Dechra aflonyddu ar y genod.'

'Hy, Magi wedi agor ei hen geg fawr mae'n debyg.'

'Na, roedd Magi'n gwrthod dweud wrthon ni be oedd yn ei phoeni hi, chwara teg iddi hi. Fi sylwodd arnat ti yn ei chicio hi yn y wers ola pnawn heddiw,' meddai Guto.

'Dim ond dipyn o chwara gwirion oedd o. Wyddwn i ddim ei bod hi'n gymaint o fabi,' meddai Robat yn sbeitlyd.

'Chdi ydi'r babi mwya, yr hen fwli mawr i ti.' Roedd Guto wedi cynddeiriogi erbyn hyn ac wedi cau ei ddyrnau'n dynn. Cymerodd gam yn nes at Robat, yn barod i'w daro, ond gafaelodd Defi yn ei fraich i'w atal.

'Rydw i'n meddwl ei fod o wedi cael y negas,' meddai'n dawel. 'Dyma'r rhybudd dwytha gei di, mêt. Os byddwn ni'n clywad dy fod ti wedi gwneud unrhyw beth o'i le o hyn allan, mi gei di gythral o gweir. Ac mi fyddwn ni wedi dweud hynny wrth y plant eraill hefyd, felly mi fydd pawb yn dy wylio di. Dallt?'

Ddwedodd Robat ddim byd, dim ond edrych ar y llawr a chrafu'r llwch efo blaen ei esgid.

'Wel, ateba ni. Wyt ti'n dallt, neu dwyt ti ddim?' Roedd Guto wedi cynhyrfu'n lân ac yn codi ei lais yn fygythiol.

'Ydw,' mwmiodd Robat o'r diwedd, 'ond mi fydda i'n dweud wrth Nhad ac wrth Puw amdanoch chi.'

'Mae Puw yn dy nabod di'n rhy dda i wrando ar

dy glwydda di,' meddai Defi'n syth. 'Rŵan ffwrdd
â chdi adra a chofia be rydan ni wedi'i ddweud.'

Cerddodd Robat yn araf ar hyd y ffordd a'r ddau
yn ei wylio.

'Pam na fasat ti'n gadael i mi roi un dyrnod iddo
fo er mwyn iddo fo gofio'r rhybudd yn well?' oedd
sylw Guto ar y ffordd adref.

'Na, dydi o ddim gwerth i ti fynd i helynt drosto
fo. A dydw i ddim yn meddwl y cawn ni fawr o
draffarth efo fo o hyn allan!'

*Attendance not so good this week owing partly to the
disturbed state of the Quarry.*

(Llyfr lòg Glanogwen National Girls' School — 10-14 Mehefin, 1901)

Pennod 10

Yn ystod tymor yr haf roedd Guto wedi tyfu'n fachgen cryf, cyhyrog, a doedd hynny ddim yn syndod. Gan fod Wil a Llew wedi cael gwaith mewn pwll glo yn y Rhondda, roedden nhw'n gallu anfon arian adref bob mis i'w gadw ef a'i fam. Fu hi erioed gystal arnyn nhw mewn gwirionedd, er bod hiraeth am ei ddau frawd mawr yn dal i'w lethu weithiau. Ond roedd yn mynd i'r ysgol bob dydd dan ganu am ei fod o a phawb arall yn cael llonydd gan Robat bellach.

Yna, pan ddaeth gwyliau'r haf o'r diwedd, fe fu'n rhy brysur o lawer i feddwl llawer am ei hen elyn. Roedd hwnnw wedi cael ei anfon i weithio ar fferm ei ewythr uwchben llyn Ogwen drwy'r gwyliau a phlant y pentref i gyd yn llawer hapusach hebddo. Bu Guto'n helpu'r ffermwyr lleol gyda'r cynhaeaf gwair a'r cneifio hefyd, ac yna'n hel llus ar lethrau'r Foel gyda Defi. Wedi i'r llus orffen roedd hi'n dymor mwyar duon, ac fe fu'r ddau yn casglu pwysi o'r rheiny wedyn er mwyn i'w mamau gael gwneud jam ar gyfer y gaeaf. Yn wir, rhwng yr holl waith a'r dyletswyddau o gwmpas y tŷ, roedden nhw'n eithaf balch o gael mynd yn ôl i'r ysgol ddechrau Medi.

Wrth gerdded i lawr yr allt i'r ysgol y bore cyntaf hwnnw ar ôl y gwyliau, sylwodd Guto ar yr arwyddion oedd yn amlwg yn ffenest bron pob tŷ yn yr ardal erbyn hyn — NID OES BRADWR YN Y TŶ HWN. Oedd, roedd un i'w weld ymhob ffenest yn eu stryd hwy, diolch byth. Ers dechrau'r haf roedd rhai o'r chwarelwyr, dim ond nifer fach iawn i ddechrau, wedi sleifio'n ôl i'r chwarel i weithio gan dorri'r streic. Roedd yn gas gan bawb y 'Bradwyr' hyn, gan ei bod mor bwysig sefyll yn gadarn os oedden nhw am drechu'r Arglwydd Penrhyn, perchennog y chwarel.

'Glywaist ti?' oedd cwestiwn cyntaf Defi y bore hwnnw. 'Mae tad John Tŷ Pen wedi mynd yn ei ôl i'r chwaral, meddan nhw.'

'Dydw i ddim yn synnu,' oedd yr ateb. 'Maen nhw'n ffrindia mawr efo Robat a'i deulu ac mae'r rheiny wedi torri'r streic yn barod.'

'Wel, mi geith y ddau ohonyn nhw groeso cynnas yn yr ysgol heddiw,' gwenodd Defi. 'Does ganddyn nhw ddim un ffrind ar ôl erbyn hyn, achos mae tad pawb arall ar streic!'

Ond doedd dim golwg o'r un o'r ddau ar yr iard, nac yn yr ysgol ar ôl i'r gloch ganu chwaith. Dyna siom, meddyliodd Guto, wrth sefyll yn ei le yn disgwyl i'r prifathro ddod i mewn o'r cyntedd. 'A finna wedi edrach ymlaen at weld y ddau.' Flwyddyn ynghynt fe fyddai wedi bod yn rhyddhad mawr iddo weld nad oedd Robat yn yr ysgol. Rhyfedd mor wahanol roedd o'n teimlo erbyn hyn.

O'r diwedd cerddodd y prifathro drwy'r drws, a phump o blant newydd yn ei ddilyn yn swil ac ansicr — tri bachgen a dwy eneth fach.

'I want you to welcome five new pupils today,' meddai Puw yn bwysig. *'They have transferred here from another school and I want you to help them to settle down as quickly as possible.'*

'Pwy ydyn nhw, tybad?' sibrydodd Defi dan ei wynt.

'Rydw i'n nabod hwnna, yr un mwya,' sylwodd Guto. 'Mae o'n byw yn Rachub ac roedd ei dad o'n gweithio efo Wil a Llew ni yn y chwaral.'

'Pam mae o wedi symud yma, tybad? Does bosib eu bod nhw i gyd wedi dŵad i Garneddi i fyw.'

'Chlywais i ddim, ac mi fydda Mam yn siŵr o fod yn un o'r rhai cynta i wybod!'

'*Silence!*' rhuodd Puw, oedd wedi llwyddo erbyn hyn i osod y bechgyn newydd yn eu lle wrth un o'r meinciau ac wedi anfon y ddwy eneth fach i'r *Infants* at Miss Thomas. Ac fe fu'n rhaid aros tan amser chwarae i gael datrys y dirgelwch.

'Wyt ti wedi symud yma o Rachub i fyw, felly?' oedd cwestiwn cyntaf Defi i Tomi, yr hynaf o'r bechgyn newydd, ar yr iard amser chwarae.

'Naddo, dim ond newid ysgol,' oedd yr ateb.

'Lle roeddat ti o'r blaen?'

'Ysgol Llanllechid.'

'Pam rwyt ti wedi symud yma, felly?'

'Wyddoch chi ddim? Mae ysgol Llan yn llawn o blant Bradwyr, a doedd Nhad ddim am i ni gymysgu efo'r rheiny.'

'Pam na fasach chi'n mynd i'r ysgol British yn Rachub?'

'Am fod honno'n orlawn yn barod, ac roedd Nhad

yn meddwl y basan ni'n cael mwy o lonydd yma efo chi. Felly mae'r pump ohonan ni'n gorfod cerddad yr holl ffordd yma bob dydd a chario bwyd efo ni i ginio.'

'Dy frodyr a dy chwiorydd di ydi'r lleill i gyd?' Roedd Defi'n llawn chwilfrydedd.

'Ia, ond arhoswch chi. Nid ni ydi'r unig rai sy'n teimlo felly. Mi fydd 'na fflyd o blant Rachub yn symud yma cyn bo hir, yn ôl pob sôn.'

'Argian, mi fydd ysgol Llan yn fach iawn wedyn,' oedd sylw rhywun.

'Na fydd,' eglurodd Tomi. 'Mae plant y Bradwyr wedi dechra symud yno er mwyn cael llonydd. Mi wnaethon ni basio dau o hogia Carneddi ar ein ffordd yma bora 'ma. Plant Bradwyr, medda Nhad.'

Edrychodd Guto a Defi ar ei gilydd. Robat a John Tŷ Pen! Dyna lle'r oedd y ddau felly, wedi symud i'r ysgol Eglwys at y Bradwyr a'r cynffonwyr eraill i gyd.

'Wel, gwynt teg ar eu hola nhw,' meddai Defi, 'er y byddai hi wedi bod yn dipyn o hwyl eu cael nhw yma rŵan.'

'Na,' meddai Guto ar unwaith. 'Mae hyn yn newydd da iawn. Meddyliwch, hogia. Pam nad ydan ni wedi medru setlo'r ddau ymhell cyn hyn? Am fod Puw wedi bygwth ein gyrru ni o'r ysgol os byddai yna unrhyw helynt. Ac fe fyddai'r ddau fabi mawr wedi achwyn arnon ni'n syth. Ond os nad ydyn nhw'n perthyn i'r ysgol yma bellach, wel . . .'

'Hei, rwyt ti'n iawn,' cytunodd Defi. 'Mi gawn ni wneud fel y mynnwn ni efo nhw o hyn allan!'

It was reported that many parents had withdrawn their children from school because there are children here whose fathers have returned to the Quarry ...

... The number of children withdrawn and sent to the British School is 14. The only excuse given is that children attend this school whose fathers and brothers have returned to the Quarry.

(Llyfr lòg Llanllechid National School — 3-6, Medi 1901)

A large number of children admitted from the National School.

(Llyfr lòg Llanllechid British School — 6 Medi, 1901)

Pennod 11

Er i Guto a'r criw grwydro draw i Bontuchaf i chwilio am Robat a John bob dydd yr wythnos honno ar ôl swper chwarel, doedd dim golwg ohonyn nhw yn unman. Rhaid eu bod yn gwybod yn iawn beth oedd ar droed ac yn swatio yn y tŷ rhag ofn. Ond roedd y ddau wedi bod yn herian Tomi a'i frodyr llai ar y ffordd adref o'r ysgol ers tridiau bellach, gan ddychryn eu dwy chwaer fach a thaflu cerrig ar eu holau.

'Be am i ni ddanfon Tomi a'r plant eraill adra o'r ysgol pnawn heddiw?' awgrymodd Guto amser chwarae ar y bore dydd Gwener. 'Rydan ni'n siŵr o'u gweld nhw ar y ffordd yn rwla.'

'Hei! Dyna syniad da,' cytunodd Defi ar unwaith. 'Aros i mi gael dweud wrth Tomi.'

'Ydi pawb yn fodlon cerddad adra efo Tomi a'i frodyr a'i chwiorydd ar ôl 'rysgol heddiw?' holodd Guto amser cinio.

Cytunodd pawb ar unwaith a dechreuodd yntau deimlo'n dipyn o ddyn, yn cael bod yn arweinydd y criw a phawb yn ufuddhau iddo fel hyn.

'Rydan ni'n siŵr o weld Robat a John yn rwla ar y ffordd,' meddai, 'ac mi fyddwn ni'n barod amdanyn nhw. Ble fyddwch chi'n eu cyfarfod nhw fel arfar, Tomi?'

'Yn Hen Barc,' oedd yr ateb. 'Tua hannar ffordd ydi hynny.'

'Iawn. Mi ddown ni i gyd efo chi heddiw a chuddio y tu ôl i'r clawdd ar y llwybr sy'n mynd i fyny at y ffarm. Mi gawn ni weld pa mor ddewr fyddan nhw pan fydd yn rhaid iddyn nhw wynebu criw mawr ohonan ni.'

'Ac wedi i ni setlo'r ddau mi awn ni i gyfarfod eu tadau nhw'n dŵad adra o'r chwaral. Mae gen i gragan ac rydw i wedi gwneud twll ynddi hi'n barod,' ychwanegodd Defi'n eiddgar.

Roedd pawb yn deall yn iawn beth oedd ei fwriad. Ers rhai wythnosau bellach, roedd gwragedd y chwarelwyr oedd ar streic wedi dechrau hwtian ar y Bradwyr, gan chwythu drwy gregyn glan môr a gwneud sŵn annaearol i godi cywilydd arnyn nhw wrth iddyn nhw gerdded yn ôl ac ymlaen o'r chwarel. Wrth gwrs, roedd hyn yn hwyl fawr gan y plant a phawb yn mwynhau gweld wynebau'r dynion wrth iddyn nhw gerdded yn eu blaenau, rhai'n herfeiddiol yn dal eu pennau i fyny, ond y rhan fwyaf yn edrych ar y llawr yn euog ac ofnus.

'Sshh! Byddwch ddistaw! Maen nhw'n dŵad.'

Aeth Guto a'r criw i swatio ym môn y clawdd o'r golwg, gan adael i Tomi a'i frodyr a'i chwiorydd gerdded yn eu blaenau'n araf ar hyd y ffordd.

'A sut maen nhw'n eich trin chi yn y *British School* erbyn hyn tybad?' Daeth llais sbeitlyd Robat i'w clyw ac roedd pawb yn ysu i gael gafael arno. Ond daliodd Guto ei law i fyny i'w hatal. Roedd am i'r ddau ddod yn ddigon agos iddyn nhw allu neidio allan ar eu cefnau a'u dal. Ond pan glywodd un o'r genethod bach yn dechrau crio, fe wyddai ei bod yn hen bryd gwneud rhywbeth.

'Rŵan, hogia!' gwaeddodd a neidiodd pawb allan gan afael yn y ddau cyn iddyn nhw sylweddoli'n iawn beth oedd yn digwydd iddyn nhw. Yna, pan welodd John pwy oedd yno, edrychodd mewn braw ar ei ffrind gan ddisgwyl rhyw arweiniad ganddo. Ond roedd Robat yn gwybod ei bod ar ben arnyn nhw. Gwnaeth un ymdrech i achub ei groen ei hun, gan wybod yn iawn fod Guto a Defi yn llawer mwy teg nag y bu ef ei hun erioed.

'Hei, dydi hyn ddim yn deg,' meddai'n hy, er bod ei galon yn curo'n gyflym a'i wddf yn sych gan ofn. 'Deg yn erbyn dau? Chwara teg rŵan, hogia!'

'Chwara teg?' poerodd Defi. 'Pwy wyt ti i sôn am chwara teg? Faint o hwnnw roist ti i neb 'rioed, y cythral?'

'Na, mae o'n iawn,' meddai Guto'n dawel. 'Un yn erbyn un ddylai hi fod, felly dyma i ti hon i ddechra!' Neidiodd yn ei flaen yn sydyn, gan saethu ei ddwrn i ganol wyneb y bwli, ac ar ôl hynny doedd gan hwnnw ddim gobaith. Roedd Guto wedi aros yn hir i gael setlo'r sgôr a gwyddai ei fod yn llawer cryfach nag o erbyn hyn hefyd. Fe wnaeth Robat ryw ymdrech wan i godi ei ddyrnau a'u chwifio o'i flaen yn wyllt, ond roedd Guto'n dawnsio o'i ffordd bob gafael ac yna'n neidio i mewn gyda dyrnod egr yn ei fol, yn ei geg, ac yn ei fol wedyn.

Cyn i neb gyfri i ddeg roedd y bwli wedi cael digon. Rhuthrodd drwy'r cylch a'i wyneb yn waed i gyd, a John yn rhedeg ar ei ôl fel ci bach. Ond nid cyn i Defi roi dyrnod iddo yntau i ddysgu gwers iddo.

'Gofalwch chi fod Tomi a'r plant 'ma yn cael llonydd o hyn allan,' gwaeddodd Guto ar eu holau. 'Neu mi fydd rhaid i chi ein hwynebu ni eto.'

'Ew, diolch hogia,' meddai Tomi'n hapus. 'Dowch, blant. Mi fyddwn ni'n iawn o hyn allan.'

The British School children are very troublesome. Today they watched two of our children for the purpose of illtreating them, and when these children were escorted homewards, the master was hooted and called all bad names. The case was reported to the British School master and also to the police.

Not a day has passed since the re-opening after the holidays but that our school children are called after or otherwise illtreated by the children of the British School.

(Llyfr lòg Llanllechid National School — 16 Medi, 1901)

Pennod 12

Erbyn diwedd y tymor hwnnw roedd Guto wedi cael ei dderbyn fel arweinydd naturiol y bechgyn hynaf yn yr ysgol. A dyna hwyl oedd i'w gael yn erlid plant y Bradwyr ar eu ffordd adref o ysgol Llanllechid neu ysgol Gerlan. Gan fod nifer o blant y streicwyr wedi symud atyn nhw i ysgol Carneddi o'r ddwy ysgol Eglwys, roedd y criw yn mynd yn fwy bob dydd ac yn fwy gwybodus hefyd. Fe wyddai plant Gerlan yn union ble'r oedd pawb yn byw yn y pentref ac fe aeth yn arfer ar brynhawn Sadwrn i gerdded yno'n un criw er mwyn ceisio perswadio plant y streicwyr i symud i ysgol Carneddi atyn nhw.

Ond roedd un peth yn poeni Guto. Er na ddywedodd Defi ddim byd, roedd yn dechrau synhwyro fod ei ffrind pennaf yn pellhau oddi wrtho am ryw reswm ac yn gwneud pob esgus i beidio â dod ar y cyrchoedd hyn. Roedd golwg boenus arno hefyd, fel petai rhywbeth mawr ar ei feddwl, a doedd ganddo ddim hanner cymaint i'w ddweud ag arfer. Pan ofynnodd Guto iddo o'r diwedd a oedd popeth yn iawn gartref, fe gyfaddefodd Defi fod ei chwaer, Sali, yn bur wael.

'Diciâu sydd arni hi, wyddost ti,' eglurodd. 'Mae

Doctor Gruffydd wedi dweud mai digon o awyr iach a digon o fwyd maethlon mae hi ei angen, ond pa obaith sydd gynnon ni, a Nhad ar streic? Prin rydan ni'n medru fforddio prynu ffisig iddi hi a thalu bilia'r doctor.'

Doedd tad Defi ddim wedi mynd i ffwrdd i weithio wedi'r cyfan, am fod ei fam oedrannus yn byw yn eu hymyl ac angen ei help arni. Yna fe aeth Sali'n wael a doedd dim gobaith iddo allu gadael y teulu wedyn. Chwarae teg i fam Guto, fe fyddai hi'n rhoi wy neu ddau neu owns o de i Defi'n aml wrth iddo alw ar ei ffordd adref o'r ysgol ac roedd pawb o'r cymdogion eraill yn garedig iawn hefyd.

Mae rhywbeth mawr yn poeni Defi heddiw, meddyliodd Guto un dydd Gwener, wrth ei weld yn ddistawach hyd yn oed nag arfer. Rhaid fod Sali'n waelach. Ond er iddo wneud esgus dros ei ffrind, roedd yn teimlo'n siomedig na allai hwnnw ymddiried ynddo a rhannu ei bryderon ag ef. Wedi'r cyfan, dyna i beth roedd ffrindiau'n dda ac fe fu Defi yn gefn mawr iddo fo pan oedd yn cael ei gam-drin gan Robat y llynedd. Dyma gyfle o'r diwedd iddo yntau dalu'r gymwynas yn ôl a gwneud rhywbeth i helpu ei ffrind. Penderfynodd gael gair ar y ffordd adref ar ddiwedd y prynhawn, ond fe ddiflannodd Defi o'r ysgol o'i flaen, peth na ddigwyddodd erioed o'r blaen. Roedd yn amlwg fod rhywbeth mawr o'i le!

'Ga i fynd i fyny i Dan y Foel i weld Defi?' crefodd Guto ar ei fam fore trannoeth.

'Na chei, wir. Mae 'na ddigon o waith o gwmpas y tŷ 'ma i dy gadw di'n brysur tan amsar cinio, a dwyt ti ddim i fynd i hel tai pnawn 'ma chwaith. Rydw i am bicio draw i Dregarth i weld dy fodryb Jini ac fe gei ditha ddŵad efo fi. Mi fydda i'n gwybod ble byddi di wedyn yn lle poeni dy fod ti'n gwneud dryga hyd y lle 'ma o hyd ac o hyd.'

'Dydan ni ddim yn gwneud dryga, Mam,' protestiodd Guto. 'Dim ond helpu'r dynion sydd ar streic a gwneud bywyd yn anodd i blant y Bradwyr.'

'Wel, pam roedd Puw y Sgŵl yn dŵad yma'n un swydd i gwyno amdanat ti? Rwyt ti wedi mynd yn ormod o lanc o lawar, Guto, ac yn rêl bwli hefyd medda Puw wrtha i. O, mi rown i'r byd i gyd yn grwn am i'r hen streic 'ma ddŵad i ben a chael Wil a Llew adra i gadw trefn arnat ti. Roeddat ti'n arfar bod yn un bach hawdd iawn dy drin, ond dwn i ddim be sydd wedi digwydd i ti yn ystod y misoedd dwytha 'ma.'

'Roedd Puw yn gorfod mynd i dŷ pawb o'r hogia am fod prifathro Llan wedi cwyno, medda fo.'

'Duw a ŵyr fod yna ddigon o helynt a drwgdeimlad yn yr ardal 'ma heb i chi, blant, ychwanegu ato fo. Mi fydd yn rhaid i ni fyw efo pawb ar ôl i'r streic yma ddŵad i ben, cofia.'

'Ga i fynd ar ôl dŵad adra o Dregarth?'

'Na chei, neno'r tad. Mi fydd yn dywyll erbyn

amsar te a dwyt ti ddim i fynd i darfu arnyn nhw yn Nhan y Foel a Sali fach mor wael. Mi gei di weld Defi yn y capal bora fory. A chofia di, beth bynnag ddigwyddith, ei bod hi'n galad iawn arnyn nhw fel teulu.'

'Be 'dach chi'n feddwl, Mam? Be sy'n mynd i ddigwydd, felly?' Roedd Guto wedi cael braw. Tybed oedd Sali'n mynd i farw?

'Hidia di befo, fe gei di wybod yn ddigon buan, 'ngwas i.'

Ac ar hynny y bu'n rhaid i Guto fodloni, er ei fod ar dân eisiau cael gair efo'i ffrind. Doedd dim rheswm yn y byd iddo fod wedi sleifio adref brynhawn dydd Gwener heb ddweud yr un gair, hyd yn oed os oedd ei chwaer yn waelach. Tybed oedd o wedi digio am rywbeth? Yn genfigennus am fod y bechgyn eraill i gyd yn edrych ar Guto fel eu harweinydd? Na, roedd y ddau'n cydweithio'n hapus tan yn ddiweddar ac fe fyddai yntau'n siŵr o fod wedi synhwyro rhywbeth ymhell cyn hyn.

We have had frequent cases of disobedience to the teachers of late . . .

(Llyfr lòg Cefnfaes British School — 11 Hydref, 1901)

Children from Gerlan attending Carneddi School go round the houses — the homes of the children attending this school — and entreat and persuade our scholars to leave our school.

(Llyfr lòg Gerlan National School — 4 Gorffennaf, 1902)

Pennod 13

Dyna siom gafodd Guto fore trannoeth wedi cyrraedd y capel efo'i fam. Gan fod sedd teulu Defi yn union y tu ôl i'w sedd hwy, roedd wedi meddwl yn sicr y byddai'n cael gweld ei ffrind o'r diwedd, petai ond i'w orfodi i ddweud helô wrtho. Ond roedd y sedd yn wag a ddaeth yr un o deulu Defi ar gyfyl y capel y bore hwnnw. Fe wyddai Guto'n iawn mai ofer fyddai iddo hyd yn oed ofyn i'w fam am gael mynd i weld ei ffrind ar ddydd Sul gan fod hwnnw'n ddiwrnod aros yn y tŷ a mynd i'r capel dair gwaith yn selog. Dim chwarae allan, dim ond eistedd yn y tŷ'n darllen ac yn dysgu adnod i'w hadrodd yn yr oedfa nos. Ac fe fyddai ei fam yn siŵr o ddod o hyd i adnod hir ac anodd er mwyn ei gadw'n brysur drwy'r dydd.

Gwag oedd sedd teulu Defi pan gyrhaeddodd y capel i oedfa'r hwyr am chwech o'r gloch hefyd, ond fel roedden nhw'n codi i ganu'r emyn cyntaf fe deimlodd ryw symudiad y tu ôl iddo a gwyddai fod rhywun wedi cyrraedd. Cymerodd gipolwg dros ei ysgwydd wrth eistedd i lawr ar ddiwedd yr emyn, a gweld ei ffrind a'i dad a'i fam yn eistedd yno a golwg digalon arnyn nhw. Rhaid fod Sali'n waelach,

meddyliodd. Ond os felly, beth ar y ddaear oedden nhw'n ei wneud yma yn y capel?

Cyfarfod gweddi oedd y gwasanaeth y noson honno. Fe fyddai Defi ac yntau'n cael hwyl yn y cyfarfodydd hyn fel arfer a Defi'n ei bwnio yn ei gefn i wneud iddo bwffian chwerthin. Fe wnâi hynny bob tro y byddai Richard Davies yn cychwyn cerdded o gwmpas i hel y casgliad, a'i esgidiau gorau yn gwichian bob cam o'r sêt fawr ac yn ei ôl wedyn. Ond wrth i'r hen ŵr gychwyn ar ei daith y noson honno, doedd dim smic o'r tu ôl iddo. Yna, pan gododd

Huw Huws i weddïo, cymerodd Guto gipolwg sydyn dros ei ysgwydd i geisio tynnu sylw ei ffrind. Fel arfer fe fyddai hi'n gystadleuaeth rhwng y ddau, cyfrif faint o weithiau y byddai'r blaenor duwiol yn dweud 'O, Arglwydd' yn ei weddi. Ond heno chymerodd Defi ddim sylw ohono, dim ond syllu'n syth yn ei flaen.

Gwyrodd Guto a rhoi ei dalcen ar bren oer y silff fach o'i flaen gan wthio'i fysedd drwy'r tyllau bach crwn oedd ynddi i ddal y gwydrau gwin Cymundeb. Dechreuodd gyfrif wrth i Huw Huws ddechrau ar ei weddi, ond roedd ganddo gymaint ar ei feddwl fel na allai ganolbwyntio rywsut. Yna teimlodd ryw si ryfedd yn mynd drwy'r gynulleidfa a dechreuodd wrando'n astud ar eiriau'r weddi.

'O, Arglwydd, mae 'na rai yma heno sydd wedi ein bradychu ni i gyd. Bradwyr ydyn nhw, wedi troi eu cefnau arnon ni ac arnat Ti, O Arglwydd. Rho nerth iddyn nhw, O, Arglwydd, i weld drygioni eu ffyrdd . . .'

Yn sydyn clywodd Guto symudiad yn y sedd y tu ôl iddo. Ceisiodd droi ei ben i weld beth oedd yn digwydd, ond gafaelodd ei fam yn ei fraich i'w atal. Pan ddaeth y weddi faith i ben cafodd gyfle i gael cipolwg dros ei ysgwydd a gweld fod sedd Defi'n hollol wag! Roedd y tri wedi cerdded allan ar ganol y gwasanaeth! Edrychodd ar ei fam mewn penbleth ac yna fe wawriodd y gwirionedd arno. 'Bradychu' a 'Bradwyr', dyna'r geiriau oedd wedi cyffroi pawb.

Ond oedd hynny'n golygu fod tad Defi wedi troi'n Fradwr?

Naddo, erioed! Ond fe fyddai'n egluro pam roedd Defi wedi bod yn ymddwyn mor od ers dyddiau bellach ac mewn rhyw ffordd ryfedd roedd hynny'n rhyddhad i Guto. Doedd dim bai arno fo, felly, a doedd Defi ddim wedi digio wrtho am iddo fo wneud dim byd o'i le na'i siomi mewn unrhyw ffordd. Meddyliodd am yr holl hwyl gawson nhw drwy'r hydref hwnnw yn erlid plant y Bradwyr ac yn hwtian ar y dynion wrth iddyn nhw ddod adref o'r chwarel. Beth fyddai'n digwydd rŵan? Fyddai yna ddim hwyl heb Defi, ac fe fyddai'n rhaid i dad hwnnw gerdded heibio'u tŷ nhw ddwywaith bob dydd i fynd yn ôl ac ymlaen i'w waith. Tybed fyddai'r merched yn hwtian arno, fel ar y Bradwyr eraill i gyd? Wrth gerdded adref o'r capel yn nhywyllwch y noson honno, teimlai fod y byd wedi troi â'i ben i waered.

Gan ei fam y cafodd o'r cysur mwyaf, wrth sgwrsio dros swper.

'Rhaid i ti beidio â gweld bai ar dad Defi,' meddai hi'n dosturiol. 'Doedd gan y creadur bach ddim dewis wyddost ti, a Sali fel y mae hi. Dwn i ddim wir. Mae'r hen streic yma'n mynd o ddrwg i waeth. Be fydd ein diwadd ni i gyd, Duw yn unig a ŵyr.'

'Ond mae pawb yn cael pres o gronfa'r streic, Mam. Mae'r ddau gôr wedi bod yn canu i hel pres drwy Loegar i gyd, meddan nhw, ac wedi gyrru miloedd o bunnau adra.'

'Ydyn, a diolch amdanyn nhw,' oedd yr ateb. 'Ond dydi hynny ddim chwartar digon wedi ei rannu rhwng pawb, mae 'na gymaint o dlodi yn yr ardal 'ma. A gofala di dy fod ti'n edrach ar ôl Defi druan bora fory yn yr ysgol.'

Yr ysgol! Wrth gwrs, fe fyddai'n rhaid wynebu Defi fore trannoeth, os na fyddai ei rieni wedi penderfynu ei symud i ysgol arall. O, na! Allai o ddim dioddef gweld ei ffrind yn cael ei gam-drin, na meddwl amdano'n gorfod cymysgu efo Robat a'i ffrindiau chwaith. Fe fyddai'r rheiny'n sicr o ddial arno gan iddo fod yn aelod mor flaenllaw o'r criw. Ond fe wyddai'n iawn y byddai'r bechgyn eraill yn disgwyl iddo drin Defi yn union fel plant pob Bradwr arall os oedd am gadw ei le fel eu harweinydd. O, roedd bywyd yn anodd!

Since the reopening of the school after the Midsummer holidays, the attendance is very considerably lowered. A great number of children have been withdrawn, and no reasons are given by the parents — but it has leaked out that they do not desire their children to mix with the children of 'traitors' — meaning the children of those quarrymen who have resumed work at the Quarries. Several families have left for Tregarth, on account of the illtreatment meted out to them in this village.

(Llyfr lòg Llanllechid National School — 20 Rhagfyr, 1901)

Pennod 14

Erbyn bore dydd Llun, roedd y newydd wedi ymledu fel tân eithin drwy'r pentref i gyd. Tad Defi wedi mynd yn ei ôl i'r chwarel! Pwy fyddai'n dychmygu'r fath beth? Dyna deimlad annifyr, meddyliodd Guto, gorfod cerdded i lawr yr allt ar ei ben ei hun heb Defi wrth ei ochr. Ond doedd dim disgwyl iddo alw amdano'r bore hwnnw — fe fyddai'n anodd iawn iddo wynebu ei hen ffrind a hwythau wedi bod mor daer yn erbyn y Bradwyr a'u teuluoedd ers dechrau'r holl helynt. Wyddai Guto ddim yn iawn sut i wynebu'r hogiau eraill chwaith, ac roedd criw ohonyn nhw'n disgwyl yn eiddgar amdano wrth giât yr ysgol.

'Hei, glywaist ti?'

'Tad Defi wedi mynd yn ei ôl i'r chwaral heddiw.'

'Mae o'n wir, felly?'

'Ydi, tad. Mi welais i o'n cerddad heibio tŷ ni ben bora.'

'Tybad ddaw'r Bradwr bach i'r ysgol heddiw?'

'Hy, dim ffiars o beryg. Mi fydd yn symud i ysgol Llan, gewch chi weld.'

'Gwynt teg ar ei ôl o hefyd, ddeuda i.'

'Mi geith gweir iawn pan gawn ni afael arno fo.'

'Dydan ni ddim eisio ei weld o yma byth eto, nac ydan Guto?'

Ddwedodd Guto 'run gair, dim ond gwrando ar y bechgyn eraill yn mynd ymlaen ac ymlaen. Ie, dyna'n union sut y bu yntau'n siarad drwy'r misoedd diwethaf yma. Wedi'r cyfan, doedd dim hawl gan neb i dorri'r streic a phawb yn aberthu cymaint er mwyn cael amodau teg i weithio danyn nhw yn y chwarel. Ddim hyd yn oed tad Defi!

'Wel, be wyt ti'n ddweud, Guto? Awn ni i chwilio amdano fo ar ôl 'rysgol i ddangos iddo fo be rydan ni'n feddwl ohono fo?' Trodd pawb i edrych arno gan ddisgwyl yn eiddgar am ei ateb.

Fe wyddai Guto'n iawn mai ei brofi o yr oedden nhw, i weld pa mor gadarn oedd o'n mynd i fod. A phetai'n eu siomi, byddai Ben Tŷ Cerrig neu un o'r lleill yn barod iawn i gymryd ei le fel eu harweinydd.

'Ia,' cytunodd o'r diwedd, gan benderfynu caledu ei galon a gwneud yr hyn oedd yn iawn. 'Dyna be wnawn ni, hogia. Mi ddangoswn ni iddo fo be 'di be.'

Doedd neb yn disgwyl gweld Defi yn yr ysgol y bore hwnnw, ond fe sleifiodd i mewn wrth gwt y prifathro ar ôl i bawb arall fynd i'w seddau. Pan ddaeth at y fainc i eistedd yn ymyl Guto, fe symudodd hwnnw ychydig i ffwrdd oddi wrtho rhag i'r bechgyn eraill feddwl ei fod am wneud dim ag o. Aeth ymlaen â'i waith heb gymryd unrhyw sylw o Defi, ond doedd hynny ddim yn hawdd a hwythau wedi bod mor agos er pan oedden nhw'n blant bach yn dechrau yn yr *Infants* erstalwm ac yn deall ei gilydd i'r dim. Er ei fod yn gwneud ei orau i'w berswadio ei hun fod yn rhaid trin pob Bradwr yn union yr un fath, fe wyddai yn ei galon fod yna fyd o wahaniaeth rhwng Defi a Robat a'i debyg. Roedd yn benderfynol o beidio ag edrych arno, rhag iddo ddechrau teimlo biti drosto, ond roedd yn ymwybodol iawn ohono'n eistedd yno wrth ei ochr, yn mynd ymlaen â'i waith yn dawel heb godi ei ben na dweud gair wrth neb. Dyna fore hir oedd hwnnw, pob munud fel awr a Guto'n hanner edrych ymlaen at amser chwarae, ond yn hanner ofni hefyd beth oedd yn mynd i ddigwydd. Fe wyddai'n iawn y byddai pawb yn disgwyl iddo wneud rhywbeth. Ond i Defi o bawb?

Pan ddaeth amser chwarae o'r diwedd, fe gadwodd Puw Defi'n ôl i fynd dros ei syms.

'Mae hwnna'n gwybod sut mae'r gwynt yn chwythu hefyd,' meddyliodd Guto wrth iddo ddilyn y bechgyn eraill i ben draw'r iard am sgwrs.

'Ydach chi'n meddwl bod Puw yn amau be sy'n mynd ymlaen?'

'Ydi, saff i chi.'

'Ond fedar o ddim ei gadw fo i mewn am byth!'

'Ac mi fyddwn ni'n barod amdano fo, byddwn hogia?'

'O, byddwn, yr hen Fradwr bach!'

'Ac mi wnawn ni'n siŵr na ddaw o byth ar gyfyl yr ysgol 'ma eto.'

'Yn ysgol Llan mae 'i le fo, efo'r tacla eraill i gyd.'

'Cadwch lygad ar y drws, hogia. I ni gael bod yn barod i roi croeso cynnas iddo fo pan ddaw o allan!'

Gwrandawai Guto ar y bechgyn eraill yn sgwrsio'n frwd ac yn awchu am gael gafael ar Defi druan. Roedd Ben Tŷ Cerrig yn uwch ei gloch nag arfer, fel petai'n synhwyro fod Guto'n teimlo'n anghyfforddus ac yn ddigalon, yn anfodlon troi ar ei hen ffrind. Ond dyna fyddai'n rhaid iddo ei wneud, os oedd am gadw ei le fel arweinydd y criw. Fe wyddai hynny'n iawn ac roedd yn flin iawn wrth Defi am gefnu arno, yn lle dweud wrtho'n syth am benderfyniad ei dad. Ond wedyn, sut y byddai ef ei hun yn teimlo tybed petai Wil a Llew wedi troi'n Fradwyr? Gormod o gywilydd i wynebu neb, mae'n siŵr, a chymaint o gasineb yn y pentref erbyn hyn at y dynion oedd wedi mynd yn ôl i'w gwaith tra oedd pawb arall yn dioddef cymaint o galedi. Na, doedd dim esgus o gwbl dros wneud y fath beth ac fe fyddai'n rhaid i Defi sylweddoli hynny fel pawb arall.

Diolch byth, fe ddaeth Puw allan i ganu'r gloch a doedd dim golwg o Defi yn unman. Rhedodd pawb i'w rhesi'n syth a sefyll yno'n dawel i ddisgwyl y gorchymyn i gerdded i mewn yn drefnus fesul dosbarth. Awr annifyr arall, meddai Guto wrtho'i hun gydag ochenaid, wrth feddwl am orfod eistedd mor agos i Defi ar y fainc a cheisio ei anwybyddu'n llwyr.

Yna pwy ddaeth allan drwy'r drws y tu cefn i Puw a sleifio i gyfeiriad y tai bach yng nghefn yr ysgol ond Defi. Aeth rhyw gyffro drwy'r rhesi a dechreuodd y bechgyn hynaf hisian yn isel rhwng eu dannedd.

'*Silence!*' rhuodd Puw. '*Who made that abominable noise?*'

Edrychodd pob un o'r bechgyn yn syth o'i flaen, doedd neb yn fodlon cyfaddef.

'*Now I warn you, boys. You can stand here until dinner time if that's the way you behave towards your fellow pupils. I've told you again and again that I won't tolerate any bad feeling in this school, whatever goes on in the village these days. And you know very well what will happen if you break that rule,*' ychwanegodd yn fygythiol, gan syllu'n syth at Guto a'i griw.

'Mi gawn ni o amsar cinio,' sibrydodd Ben Tŷ Cerrig dan ei wynt wrth gerdded heibio i Guto ar ei ffordd i'w sedd.

Nodiodd Guto arno, ond roedd ei galon yn ei sodlau.

Fe fu'n rhaid i Defi ddod allan o ddiogelwch y dosbarth o'r diwedd, pan ganodd corn y chwarel i ddweud ei bod yn hanner dydd. Roedd y criw wedi mynd i guddio rownd y gornel wrth y capel, o olwg

Puw a'i lygaid barcud, i ddisgwyl amdano. Cafodd ei wthio yn erbyn y wal a'i ddal yno gan ddau o'r bechgyn mwyaf tra oedd y lleill yn ei wawdio ac yn rhoi ambell bwniad ciaidd iddo yn ei ochr. Yna edrychodd pawb ar Guto i weld beth oedd yn mynd i ddigwydd nesaf. Syllodd yntau ar Defi a gweld yr olwg ofnus yn ei lygaid. Fe wyddai'n union sut yr oedd yn teimlo a chofiodd fel yr oedd ef ei hun wedi dioddef sawl gwaith wrth wynebu Robat a'i griw. Diolch byth fod Defi yno i'w helpu'r troeon hynny, neu fe fyddai wedi bod yn ddrwg iawn arno. Bu'n sefyll yno'n hir heb wneud dim, a'r bechgyn eraill yn ei annog yn ei flaen.

'Tyrd yn dy flaen, wir,' gwaeddodd Ben Tŷ Cerrig yn ddiamynedd. 'Os nad wyt ti'n ddigon o ddyn i roi cweir iawn iddo fo, mi wna i hynny yn dy le di â chroeso.'

Chymerodd Guto ddim sylw ohono, dim ond cerdded yn ei flaen yn benderfynol a'i galon yn curo'n gyflym. Trodd Defi at y wal, yn disgwyl iddo ei daro, a theimlodd Guto i'r byw wrth sylweddoli fod ar Defi, o bawb, ei ofn. Aeth ato gan sefyll yn gadarn wrth ei ochr a rhoi ei law ar ei ysgwydd cyn troi i wynebu'r lleill i gyd.

'Gadwch lonydd iddo fo, hogia,' meddai o'r diwedd. 'Dydi Defi druan ddim wedi gwneud dim byd i neb. Tyrd, wàs, mi edrycha i ar dy ôl di.'

The bad feeling caused by the Strike caused some half dozen children to remove to the Church Schools.

I am gratified to find that, with one exception, the children of Strikers and Secessionists fraternize together. I have repeatedly warned the children that I will not tolerate any molesting and they seem to have acted accordingly.

(Llyfr lòg Carneddi British School — 2 Medi, 1903)

Ôl-nodyn

Fe aeth y Streic Fawr ymlaen am dair blynedd hir, tan 14 Tachwedd, 1903. Er yr holl ddioddef, mynd yn ôl i'w gwaith fu'n rhaid i'r chwarelwyr yn y diwedd ar delerau'r Arglwydd Penrhyn, heb ennill dim. Erbyn hyn roedd llawer o bobl ifanc wedi gadael yr ardal ac fe fethodd eraill, oedd wedi bod yn arweinwyr y Streic, â chael eu gwaith yn ôl. Ni ddychwelodd mil o ddynion byth yn ôl i Chwarel y Penrhyn.

TEITLAU ERAILL YNG NGHYFRES CLED

Rhannwyd y gyfres yn dri grŵp wedi'u graddoli yn ôl iaith a chynnwys a nodir hynny gydag un, dau neu dri nod.

- *'Tisio Bet?* Emily Huws (Gomer)
- *'Tisio Sws?* Emily Huws (Gomer)
- *'Dwisio Dad* Emily Huws (Gomer)
- *'Dwisio Nain* Emily Huws (Gomer)
- *Piwma Tash* Emily Huws (Gomer)
- *Tash* Emily Huws (Gomer)
- *Gags* Emily Huws (Gomer)
- *Jinj* Emily Huws (Gomer)
- *Tic Toc* Emily Huws (Gomer)
- *Strach Go-Iawn* Emily Huws (Gomer)
- *Nicyrs Pwy?* Emily Huws (Gomer)
- *'Sgin ti Drôns?* Emily Huws (Gomer)

- • *Canhwyllau* Emily Huws (Gomer)
- • *Dwi'n ♥ 'Sgota* Emily Huws (Gomer)
- • *Dwi Ddim yn ♥ Balwnio* Emily Huws (Gomer)
- • *Ydw i'n ♥ Karate?* Emily Huws (Gomer)
- • *Ydi Ots?* Emily Huws (Gomer)
- • *Modryb Lanaf Lerpwl* Meinir Pierce Jones (Gomer)
- • *Iechyd Da, Modryb!* Meinir Pierce Jones (Gomer)
- • *Y Gelyn ar y Trên* T. Llew Jones (Gomer)
- • *Craig y Lladron* Ioan Kidd (Gomer)
- • *Os Mêts, Mêts* Terrance Dicks / Brenda Wyn Jones (Gomer)
- • *Tân Gwyllt* Pat Neill / Dic Jones (Gomer)
- • *Delyth a'r Tai Haf* Pat Neill / Dic Jones (Gomer)
- • *Adenydd Dros y Môr* Pat Neill / Dic Jones (Gomer)
- • *Cathreulig!* M. Potter / Gwenno Hywyn (Gwynedd)
- • *Haf y Gwrachod* Andrew Mathews / Siân Eleri Jones (Gwynedd)
- • *Lleuwedd* D. Wiseman / Mari Llwyd (Gomer)
- • *Sothach a Sglyfath* Angharad Tomos (Y Lolfa)
- • *Y Mochyn Defaid* Dick King-Smith / Emily Huws (Gomer)
- • *Rêl Ditectifs!* Mair Wynn Hughes (Gomer)
- • *Yr Argyfwng Mawr Olaf* Betsy Byars / Meinir Pierce Jones (Taf)
- • *Lloches Ddirgel* Theresa Tomlinson / Sioned Puw Rowlands (Gwynedd)

•• *Mwy Nag Aur* Meinir Wyn Edwards (Honno)
•• *Y Dyn â'r Groes o Haearn* J. Selwyn Lloyd (Gwynedd)
•• *Tân Poeth* Penri Jones (Dwyfor)
•• *Fe Ddaeth yr Awr* Elfyn Pritchard (Gomer)
•• *Y Defaid Dynion* Siân Lewis (Gomer)
•• *Gwe Gwenhwyfar* E. B. White / Emily Huws (Gomer)
•• *Wham-Bam-Bang!* Dick King-Smith / Emily Huws (Gomer)
•• *Myrddin yr Ail* Hilma Lloyd Edwards (Y Lolfa)
•• *Crockett yn Achub y Dydd* Bob Eynon (Dref Wen)
•• *Castell Marwolaeth Boenus ac Erchyll* Rolant Ellis (Y Lolfa)
•• *W-wff!* Alan Ahlberg / Brenda Wyn Jones (Carreg Gwalch)
•• *Cyfrinach y Mynach Gwyn* Eirlys Gruffydd (Gomer)
•• *Mêts o Hyd* Terrance Dicks / Brenda Wyn Jones (Gomer)
•• *Cuthbert Caradog* Alys Jones (Gwynedd)

••• *Pen Cyrliog a Sbectol Sgwâr* Gareth F. Williams (Y Lolfa)
••• *Nefi Bliwl* C. Sefton / Emily Huws (Gomer)
••• *Magu Croen Rhag Poen* Mair Wynn Hughes (Gomer)
••• *Yr Indiad yn y Cwpwrdd* L. R. Banks / Euryn Dyfed
(Gomer)
••• *Gan yr Iâr* Anne Fine / Emily Huws (Gomer)